THIERRY CROUZET

LE CINQUIÈME POUVOIR

POUVOIR

Comment internet bouleverse la politique

bourin
éditeur

5, rue Royale 75008 Paris

Par Thierry Crouzet

Le Peuple des connecteurs, Bourin Éditeur, 2006.
Version papier 2006, lulu.fr, 2007.
Blog, *blog.tcrouzet.com*.

Retrouvez les sites et blogs politiques sur *bonVote.com*.

À tous ceux qui ont rejoint et rejoindront
le cinquième pouvoir...

*Ce livre ne se met précisément à la suite de personne ;
en l'écrivant, je n'ai entendu servir ni combattre aucun parti ;
j'ai entrepris de voir, non pas autrement, mais plus loin
que les partis ; et tandis qu'ils s'occupent du lendemain,
j'ai voulu songer à l'avenir.*

Tocqueville, *De la democratie en Amórique*, 1835

CINQUIÈME POUVOIR *nom masculin* (1965 ; Harvey Ovshinsky, créateur du magazine *Fith Estate*) Ensemble des citoyens fédérés grâce aux nouvelles technologies de communication. Il contrebalance le quatrième pouvoir, celui des médias et par extension du business, qui lui-même contrebalance les trois pouvoirs traditionnels : législatif, exécutif et judiciaire.

WEBLOG *nom masculin* (1997 ; Jorn Barger ; contraction de web log, c'est-à-dire carnet de bord web) Site web qui ressemble à un carnet de notes où les articles, pouvant être commentés par les lecteurs, sont affichés dans l'ordre chronologique inverse. Le premier weblog daterait de 1994 et serait l'œuvre de Justin Hall. Un weblog est soit l'œuvre d'un auteur unique, soit d'un collectif.

BLOG *nom masculin* (1999 ; Peter Merholz) Synonyme de weblog. Employé pour la première fois dans le jeu de mots « we blog ». A donné naissance au verbe bloguer (publier un billet dans un blog) et au nom blogueur (personne qui blogue).

BLOGOSPHÈRE *nom féminin* (1999 ; Brad L. Graham). Ensemble des blogs et/ou des blogueurs.

POLITIQUE *nom féminin* (1361; du grec *politikos* qui signifie «de la cité») Art et pratique du gouvernement des sociétés humaines. Comme adjectif : relatif à la cité, à la chose publique, au gouvernement de l'État.

SITE POLITIQUE *nom masculin* Site web, très souvent un blog, qui traite principalement de politique. Un site politique est soit indépendant, soit partisan (sympathisant, militant, candidat, élu...). Selon la sensibilité de son auteur (ou de ses auteurs), il décrit, interroge, analyse, discute, critique ou approuve tel ou tel aspect de la vie politique. Il est parfois force de proposition (réflexions constitutionnelles, organisation sociale, environnement, urbanisme, éducation...).

BUZZ *nom masculin* Bruit autour d'un produit, d'une personne, d'une mode... qui se propage à très grande vitesse de bouche à oreille grâce, entre autres, aux nouvelles technologies de communication. Les blogs politiques sont souvent des créateurs de buzz. Lorsque le buzz a pris de l'ampleur, les médias traditionnels s'en saisissent.

Remerciements

Je voudrais commencer par remercier les visiteurs de mon blog. Depuis la publication en février 2006 du *Peuple des connecteurs*, ils n'ont cessé de me pousser en avant. Leurs objections comme leurs encouragements m'ont incité à développer mes idées, souvent dans des directions auxquelles je n'avais jamais pensé.

Sous leur impulsion, je me suis retrouvé engagé en politique. J'ai découvert que l'intelligence collective n'était pas une chimère. Ils ont écrit ce livre autant que moi, me proposant des exemples et des lectures qui me stimulèrent. C'est d'ailleurs un blogueur, Erick Jonquière d'*e-znogood.com*, qui m'a suggéré de parler du cinquième pouvoir. Je l'en remercie, et avec lui tous ceux dont les propositions se sont avérées plus pertinentes les unes que les autres.

Grâce au *Peuple des connecteurs* et à mon blog, j'ai rencontré des dizaines de personnes avec qui j'ai débattu. J'ai essayé de leur donner la parole tout au long de ce nouveau livre ; néanmoins, je voudrais remercier particulièrement ceux dont la pensée m'a le plus influencé.

Tout d'abord François Collet, initiateur du réseau freemen, sans qui je n'aurais pas écrit le chapitre sur la bataille de Borodino, et bien d'autres choses dans ce livre ;

Carlo Revelli, qui m'a incité à publier sur *agoravox.fr*, ce qui, par là même, m'a permis de recevoir de nombreuses critiques : elles m'ont forcé à écrire de nouveaux articles et m'ont donné l'idée de traiter du lien entre internet et la politique ; Christophe Grébert et l'équipe d'*asnierois.org*, qui m'ont démontré que le blog était une arme en politique locale ; Étienne Chouard, qui m'a raconté son aventure durant le référendum européen ; José Ferré, Axel Karakartal, Adam Kesher et Fred Samama, qui se sont appliqués à me faire maintes fois retomber sur terre ; Fabrice Frebourg, qui m'a alimenté non-stop en articles que je n'aurais jamais lus ; Geneviève Morand, qui m'a donné l'occasion de parler de mes idées en public.

Je remercie aussi les personnalités politiques qui ont accepté de discuter de mes idées et de les mettre à l'épreuve : François Bayrou (UDF), Édouard Fillias (Alternative libérale), Corinne Lepage (Cap 21), Alain Lipietz (Verts), Rachid Nekkaz (indépendant), Alain Rousset (PS), Thierry Solère (UMP) et Vincent Feltesse (PS).

Pour finir, je remercie mon éditeur pour sa confiance. Ce livre ne peut qu'être imparfait, je m'en excuse : les choses dont je vais parler sont encore incertaines. Le débat continue sur mon blog...

Thierry Crouzet, décembre 2006

Notes et illustrations se trouvent en fin d'ouvrage.

Les 50 blogs qui m'ont inspiré

Aeiou *www.fluctuat.net/blog*
Agoravox *www.agoravox.fr*
Franck Aigon *propos.hautetfort.com*
Chris Anderson *www.thelongtail.com*
Asnierois.org *www.asnierois.org*
Philippe Astor *djbox.typepad.com/poilagratter*
Laurent Bervas *www.blogwaves.com*
Bruno de Beauregard *debeauregard.typepad.com*
Big Bang Blog *www.bigbangblog.net*
Jean Michel Billaut *billaut.typepad.com*
Guy Birenbaum *birenbaum.blog.20minutes.fr*
Francesco Casabaldi *francescocasabaldi.typepad.com*
Cercamon *bibliothecaire.wordpress.com*
Jérôme Charré *www.jerome-charre.fr*
Étienne Chouard *etienne.chouard.free.fr*
Isabelle Delannoy *www.eco-echos.com*
José Ferré *carnetsdenuit.typepad.com*
Carlos Gershenson *complexes.blogspot.com*
Christophe Ginisty *ginisty.typepad.com*
Bruno Giussani *giussani.typepad.com*
Laurent Gloaguen *embruns.net*

Christophe Grébert *www.monputeaux.com*
Laurent Guerby *www.guerby.org*
Stéphane Guerry *mediapedia.wordpress.com*
Alain Hertoghe *hertoghe.typepad.com*
Jeff Howe *crowdsourcing.typepad.com*
Erick Jonquière *e-znogood.com*
Axel Karakartal *www.page2007.com*
Adam Kesher *adamkesher.canalblog.com*
Koz *koztoujours.free.fr*
Loïc Le Meur *www.loiclemeur.com*
John Paul Lepers *johnpaullepers.blogs.com*
Thierry Maillet *mailletonmarketing.typepad.com*
Miguel Membrado *membrado.blogs.com*
Netpolitique *blog.netpolitique.net*
Tristan Nitot *standblog.org*
P2P Foundation *blog.p2pfoundation.net*
Petites phrases *www.petites-phrases.com*
Francis Pisani *pisani.blog.lemonde.fr*
Pouic *chroniquesmartiennes.wordpress.com*
Présidentielles 2007 *www.programme-presidentiel.com*
Natacha et Sacha QS *www.memoire-vive.org*
Hans Rosling *roslingsblogger.blogspot.com*
Pascal Rossini *www.pascalrossini.com*
TED Bog *tedblog.typepad.com*
Versac *versac.net*
Vinvin *cdelasteyrie.typepad.com*
Nicolas Voisin *www.nuesblog.com*
Web Citoyen *www.webcitoyen.com*
World Changing *worldchanging.com*

PARTIE 1

NAISSANCE
DU CINQUIÈME
POUVOIR

2003-2004 – Élections présidentielles aux États-Unis

2004-2005 – Référendum européen en France

2006-2007 – Élections présidentielles en France

CHAPITRE 1

L'AMÉRIQUE A TREMBLÉ

La révolution ne sera pas télévisée

Ne demande pas ce que ton pays peut faire pour toi, demande ce que tu peux faire pour ton pays.

John Fitzgerald Kennedy

À l'est du Mississippi, à cheval entre Kentucky et Virginie, un canyon traverse une forêt souvent survolée d'aigles royaux. Le domaine des Indiens Shawnees est aujourd'hui devenu un parc naturel où les touristes accourent en été. Les politiciens ne manquent pas de les imiter.

Le 11 août 2006, sous un ciel bas et lourd, un bus aux vitres fumées roulait vers le Rhododendron Lodge Conference Center. Sur la carrosserie bleu nuit, de grandes lettres blanches épelaient le nom du sénateur George Allen.

Parmi la foule des républicains venus attendre le sénateur de Virginie, un jeune homme se détachait. Vêtu d'une chemise jaune contrastant avec sa peau sombre, il ne passait pas inaperçu. Shekar Ramanuja Sidarth était indien, non pas un descendant des Shawnees mais le fils d'immigrés qui avaient quitté l'Inde une génération plus tôt pour s'installer en Virginie, dans le comté de Fairfax. Avec sa caméra numérique, cet étudiant de vingt ans, surnommé Sid, filmait tous les déplacements du sénateur. Il ne le faisait pas par plaisir mais pour Jim Webb, le candidat démocrate au Sénat.

Lorsque George Allen parlait, il voyait toujours Sid non loin de lui jouer au paparazzi. Le 11 août 2006, le sénateur perdit le sens de l'humour. Interrompant son discours, il pointa Sid du doigt et dit [1] :

— Ce gars là-bas avec la chemise jaune, ce macaque, peu importe son nom d'ailleurs, il est dans le camp de mon adversaire. Il nous suit où que nous allions. Il est formidable. Nous nous rendons un peu partout en Virginie et il va nous filmer : mon adversaire – qui n'est jamais venu nous voir et ne viendra probablement jamais – pourra ainsi nous voir.

Après une évocation de Jim Webb, le sénateur Allen chargea encore une fois Sid :

— Souhaitons la bienvenue à ce macaque. Bienvenue en Amérique et en Virginie.

Sid ne se démonta pas. Il filma sans broncher. Le lendemain, sa vidéo circulait de blog en blog. Quatre jours plus tard, le sénateur s'excusait devant tous les médias du pays. Celui qui avait songé à se présenter dans le camp républicain pour briguer l'investiture du parti et succéder à George Bush voyait sa candidature compromise. La veille de sa mésaventure, il devançait Jim Webb dans les sondages de 16 points ; quatre mois plus tard, le 7 novembre 2006, il perdit les élections.

Le sénateur Allen connaissait pourtant le danger. Il avait vécu la campagne présidentielle 2003-2004 et assisté à la montée en puissance des blogueurs américains. Il aurait dû se tenir sur ses gardes.

Howard Dean : le candidat choisi

Janvier 2003, aéroport de Manchester, New Hampshire. Joe Trippi se demandait encore pourquoi il était là, lui qui ne rêvait que d'une année de repos dans son ranch sur les côtes du Maryland. Sans enthousiasme, cet homme de 46 ans, aux cheveux courts et grisonnants, au visage un peu rebondi, se traîna vers sa voiture de location. Il allait pouvoir méditer : trois heures de route l'attendaient.

Il s'engagea sur l'interstate 89 en direction du nord-ouest, la circulation ne le gênait pas. Il était presque seul. Lui et quelques camions. Lui et sa lassitude. Il venait de consacrer plusieurs semaines à la réélection du démocrate Tim Holden dans le dix-septième district de Pennsylvanie. Joe était fatigué de la politique. Depuis 1979, il avait enchaîné campagne après campagne, ne faisant une pause que pour se lancer dans la bulle internet, comme consultant.

Joe avait deux passions : la politique et la technologie. Pour lui, l'une et l'autre s'abreuvaient à la même source : le désir de changer le monde et de le pousser en avant. Dans tout politicien, dans tout technophile s'agite un esprit révolutionnaire.

Pour Joe, internet allait enfin jouer un rôle décisif en politique. En 2000, lors de la course à la présidentielle, le républicain John McCain avait recruté 40 000 sympathisants uniquement en ligne. C'était beaucoup, mais pas assez contre George Bush. À cette époque, la technologie n'était pas prête.

Les concepts étaient pourtant là.

En 1983, Richard Stallmann décréta que les programmes informatiques appartenaient à la culture humaine aussi sûrement que les textes publiés dans les livres. Nous devions pouvoir les lire, les copier et les modifier librement. Il créa le mouvement Open Source, auquel se joignirent tous les informaticiens qui souhaitaient partager leurs créations. Ils continuaient à travailler chacun de leur côté mais, en donnant accès aux codes sources de leurs programmes, ils facilitaient le travail des autres informaticiens. Ensemble, dans une logique gagnant-gagnant, ils formèrent une immense communauté et développèrent la plupart des logiciels qui soustendent l'infrastructure internet.

En 1995, Ward Cunningham mit en ligne le premier wiki, site web où les lecteurs peuvent modifier les pages publiées en y corrigeant les erreurs ou en y ajoutant des informations. Un wiki est un site qui n'appartient plus à son créateur mais à tous ceux qui y collaborent. Le wiki de Ward Cunningham était en Open Source. Un de ses descendants donna naissance à l'encyclopédie *wikipedia.org*. Avec plusieurs millions d'articles dans plusieurs dizaines de langues, c'est la plus vaste encyclopédie jamais écrite.

Elle rivalise en qualité avec les meilleures encyclopédies traditionnelles, notamment la fameuse *Encyclopædia Britannica* qui, elle, reste payante et n'est mise à jour qu'épisodiquement.

En 1999, un étudiant appelé Shawn Fanning créa Napster, un programme pour échanger des morceaux de musique sur internet. Il révolutionna le monde de la distribution : les morceaux passaient de personne à personne sans aucun intermédiaire. On parla de communication d'égal à égal, de point à point, de *peer-to-peer*, ce qui donna l'acronyme P2P. De jeunes écervelés s'emparèrent de Napster et firent trembler l'industrie du disque en distribuant gratuitement des fichiers piratés.

Transparence, collaboration, échange devinrent des mots d'ordre révolutionnaires. En 2000 et 2001, alors que la bulle internet explosait, que la Bourse s'effondrait, de nouveaux entrepreneurs s'approprièrent ces idées et inaugurèrent ce que nous appelons aujourd'hui le web 2.0 : les sites web devinrent soudain beaucoup plus interactifs.

Sur les blogs, nous pouvons commenter les articles. Sur *youtube.com*, nous pouvons publier nos vidéos. Sur *wikipedia.org*, nous pouvons écrire les entrées de l'encyclopédie. Tous ces services n'existent que grâce à la collaboration de leurs usagers. Ensemble, ils forment des communautés de type Open Source. Quand je publie des vidéos ou des photos, j'accepte que les autres internautes les utilisent dans leurs propres créations.

Il se produit la même chose avec les billets publiés dans les blogs, souvent repris, commentés, complétés, critiqués.

Chaque personne qui participe à ce processus en tant qu'acteur ou lecteur entre dans une communauté informelle, une sorte de grande famille au sein de laquelle chacun apprend peu à peu à se connaître. « Si le web débuta comme une immense bibliothèque, il est maintenant une vaste conversation, explique la journaliste scientifique Amanda Gefter[2]. [...] La socialisation, plutôt que l'information, est devenue le premier usage d'internet. »

En 2003, ce mouvement collaboratif prenait de l'ampleur. Des millions de citoyens, souvent inconsciemment, pratiquaient quotidiennement l'Open Source. Joe Trippi le savait. Après la réélection de son poulain, le démocrate Tim Holden, il avait pris l'avion pour Des Moines, dans l'Iowa. Là, lors d'un meeting de préparation des élections présidentielles 2004, il avait écouté les discours de trois des prétendants à l'investiture du parti démocrate : Dick Gephardt, pour qui il avait jadis travaillé, le sénateur du Massachusetts John Kerry – le favori – et Howard Dean, un quasi-inconnu, le gouverneur du minuscule État du Vermont d'où jamais aucune personnalité nationale n'avait émergé.

À Des Moines, le meeting se déroula en deux temps. Le matin, Howard Dean parla en troisième : son discours fut catastrophique. Joe lui donna quelques conseils. L'après-midi, Dean intervint en premier, il fit un carton.

— Nous n'avons aucune raison valable d'aller faire la guerre en Irak, dit-il.

Moins d'un mois plus tard, Joe remontait l'interstate 89 en direction du Vermont. Il traversa la moitié du New

Hampshire, franchit la rivière Connecticut, s'enfonça dans les forêts d'érables et de conifères couvertes de neige. Après trois heures de route, il finit par atteindre la petite ville de Burlington, en surplomb du lac Champlain, au pied des Adirondack Mountains, où James Bond vécut l'une de ses plus extravagantes aventures.

Dans cette paisible bourgade de 39 000 habitants, non loin de la frontière québécoise, Howard Dean avait établi son QG de campagne. Et quel QG! Six personnes et le candidat, ni plus ni moins. Dans le même temps, les autres prétendants à l'investiture démocrate avaient levé des armées et dépensé des millions de dollars. Malgré la sympathie qu'il éprouvait pour Dean, Joe savait que les dés étaient pipés. Le gouverneur ne s'était jamais battu dans la cour des grands, il n'avait aucune chance. Sur les 300 000 dollars réunis par son équipe, il ne lui en restait plus que 100 000. Et les primaires commençaient dans un an.

Deux possibilités s'offraient à Joe: rentrer chez lui et dormir ou rester à Burlington et se lancer dans une histoire de fou. Il choisit de rester car il sentait que quelque chose pouvait se passer: internet préparait son entrée dans la grande histoire.

— Le voyage que je m'apprêtais à commencer allait être le plus extraordinaire et le plus inoubliable de ma vie, écrivit-il dans son superbe livre *The Revolution Will Not Be Televised*[3]. J'allais être le témoin du début d'un minuscule mouvement qui, rapidement, entraîna des centaines de milliers d'Américains, premier pas dans la reconstruction des fondements de notre pays jusque-là vérolé par le cynisme de la politique télévisuelle [...].

La révolution était en marche.

Meetup

Mais pour faire la révolution, Howard Dean n'avait pas d'argent : pas d'argent signifiait pas de pub télé, donc aucun moyen de toucher l'ensemble des électeurs démocrates. Pour Joe Trippi, il ne restait qu'une solution : décentraliser la campagne. Laisser les citoyens s'approprier le discours de Dean, les laisser devenir ses porte-parole. Lorsqu'ils rencontreraient d'autres citoyens, lorsqu'ils leur serreraient la main, ils pourraient les convaincre mieux que n'importe quel spot télévisé.

Joe savait que sur internet la plupart des grands services comme Google ou Hotmail avaient débuté avec peu d'argent. Ils avaient réussi sans passer par la télévision. Leur secret était le buzz, le bouche-à-oreille : quand une personne est satisfaite d'un produit, elle en parle aux membres de sa communauté – elle en parle d'autant plus facilement sur internet qu'il suffit d'envoyer un mail, d'écrire dans un forum ou de publier un billet dans un blog.

Mais comment faire du buzz autour d'Howard Dean ? Joe eut une idée de génie : il se souvint avoir lu sur le blog *MyDD.com* que quelques sympathisants de Dean se regroupaient spontanément, sans que Dean le sache en fait, grâce au tout nouveau site *meetup.com*.

Ce service est simplissime. Les gens qui partagent un centre d'intérêt entrent en contact et organisent des rencontres durant lesquelles ils discutent de vive voix. Meetup se charge de trouver le lieu en fonction du nombre de participants. En janvier 2003, il y avait sur Meetup 432 sympathisants pour Dean et beaucoup moins pour les autres candidats à l'investiture démocrate. Joe fit ajouter un lien entre le site officiel de Dean et sa communauté Meetup. Moins d'une semaine plus tard, il y avait 2 700 sympathisants sur Meetup, et les autres candidats n'avaient pas progressé. Quelque chose était en train de se passer.

Pour 2 500 dollars par mois, Meetup accepta d'organiser toutes les réunions que planifieraient les sympathisants de Dean. Dès lors, Joe n'était plus le seul responsable de la campagne. Il avait réussi à la décentraliser.

Suivant les critères traditionnels, les 2 700 membres de la communauté de Dean ne représentaient rien à l'échelle nationale. Mais comme cette communauté était née sur internet, elle s'organisait en réseau : des individus se connectaient les uns avec les autres, sans aucun lien hiérarchique, chacun conservant son autonomie, sa liberté d'établir de nouvelles connexions hors du réseau existant.

Par rapport à une structure hiérarchique traditionnelle, avec ses chefs et ses sous-chefs, un réseau est une structure souvent qualifiée de plate (fig. 1.1). On peut la représenter comme un filet où les individus constituent les nœuds à l'intersection des mailles. Entre ces nœuds, les liaisons ne respectent aucune loi évidente, elles se jouent des distances par exemple. Dans un réseau, en tout cas un réseau décentralisé tel celui que tracèrent les supporters de Dean, tels ceux que nous traçons sans cesse sur internet mais aussi lors de nos interactions sociales, il n'y a pas de personnage clé.

L'information circule transversalement, elle s'échange de personne à personne : c'est très efficace car elle n'a pas besoin de remonter jusqu'au sommet de la structure avant d'en redescendre. L'initiative appartient à chacun des acteurs du réseau. En contrepartie, personne ne contrôle le flux des informations puisque tout le monde est à la fois émetteur et récepteur.

Pour profiter de la puissance d'un réseau, il faut donc accepter de relâcher le contrôle. Joe Trippi le savait, il persuada Howard Dean d'adopter cette stratégie. Elle fonctionna si bien que les rencontres Meetup se multiplièrent. Très vite, il devint impossible de décider qui serait l'animateur de chacune d'entre elles. Une solution s'imposa : les animateurs se désigneraient eux-mêmes. Il importait peu qu'ils répètent la bonne parole d'Howard Dean, ils étaient libres de l'interpréter, de l'accommoder à leur sauce. C'était même vital. Le discours démocrate était devenu vivant, il appartenait aux sympathisants, parfois blogueurs, souvent simples citoyens, qui n'avaient pas l'autorité d'approuver ou de désapprouver quoi que ce soit, ils avaient juste de droit de commenter et d'argumenter.

— Les idées qui émanent de la base n'ont pas besoin de remonter au QG pour être adoptées, expliqua David Weinberger, un consultant en politique[4]. Au contraire, l'équipe de campagne de Dean a donné les outils pour que les idées vivent indépendamment.

Se stimulant les uns les autres, de plus en plus de jeunes rejoignirent l'équipe de campagne d'Howard Dean. Désabusés jusque-là par la politique, ils découvraient qu'elle pouvait se faire autrement, à partir d'internet, leur outil de prédilection, et non plus depuis la télévision, dont ils se détournaient. Une nouvelle génération d'activistes se formait. Son enthousiasme, sa fraîcheur, son idéalisme, son refus des injustices et de la corruption faisaient oublier son manque d'expérience.

Dean avait réveillé cette génération, il lui avait redonné l'espoir, il était allé la chercher là où elle vivait : sur internet. Loin des clivages traditionnels, cette jeunesse sensibilisée aux problèmes sociaux, climatiques et écologiques savait que l'avenir de l'humanité était en jeu, et pas seulement un petit coin du monde appelé États-Unis.

Un jour Matt Gross, un trentenaire dégingandé, entra en force dans le QG. Alors qu'il se faisait expulser, il cria qu'il bloguait sur *MyDD.com*. Joe l'embaucha sur le champ.

Deux jours plus tard, Matt Gross mit en ligne Call to Action, renommé Blog for America le 15 mars 2003. Ce fut le premier blog de campagne de l'histoire. Terminés les sites institutionnels ressemblant à des plaquettes publicitaires : Howard Dean et ses collaborateurs allaient dorénavant publier régulièrement leurs articles.

— Je voudrais que vous soyez impliqués dans cette campagne et que vous y contribuiez, écrivait Zephyr Teachout dans le premier billet[5]. Dean n'a pas les poches aussi pleines que les autres candidats mais je crois qu'il fera le meilleur Président. Et je ne veux pas que l'argent décide qui doit mener ce pays.

Ces propos étaient lourds de sens : depuis 1976, le Président élu était toujours le candidat qui avait le plus d'argent. Bush, disposant de 200 millions de dollars pour cette campagne, allait pouvoir s'acheter des espaces publicitaires dans tous les médias. La démocratie allait être confisquée par les quelque 631 riches donateurs qui le subventionnaient.

La fin de l'hypocrisie

Début mars, la communauté Meetup de Dean comprenait 22 000 sympathisants. Le 5, ils avaient prévu d'organiser des rencontres dans quelques grandes villes. À New York, de jour en jour, le chiffre des invités grossissait : 50, 100, 200... Dean allait remplir une salle de concert.

Joe lui demanda où il serait le 5 mars. À New York. Alors il lui proposa de participer à la réunion. Ce fut presque l'émeute à l'Essex Lounge : 500 personnes se pressèrent dans la salle pendant qu'au moins 300 autres restèrent dehors.

— Le moment est venu pour un changement de régime, dit le candidat auquel personne ne croyait un mois plus tôt.

Howard Dean était devenu le candidat de la génération internet. Celui qui était allergique à la technologie voulait redonner le pouvoir aux citoyens.

— Beaucoup de gens qui fréquentent internet se désintéressent de la politique traditionnelle parce que ce n'est qu'une histoire de télé et de sondages, et parce qu'ils n'ont aucun moyen de s'exprimer, expliqua Dean[6]. Nous avons donné aux gens le moyen de parler et nous les écoutons.

Joe Trippi avait mis en pratique cette idée :

1/ le site de campagne devait être participatif et prendre la forme d'un blog ;

2/ les sympathisants devaient pouvoir intervenir librement ;

3/ le discours de Dean leur appartenait, ils pouvaient le porter à leur façon ;

4/ la politique devenait participative, toutes les bonnes idées émises par les sympathisants devaient être prises en compte ;

5/ bien plus qu'un média, internet était avant tout un outil de création de communautés.

Début avril 2003, 27 000 personnes avaient rejoint la communauté Meetup de Dean et les autres prétendants démocrates ne semblaient pas s'en émouvoir. Pour eux, internet était un gadget, tout au plus un média comme un autre. Ils n'avaient pas perçu sa spécificité.

La bulle spéculative qui portait le web avait explosé deux ans plus tôt. Les politiciens le savaient. Dans tous les esprits, la folie des nouvelles technologies était révolue, la bonne vieille logique avait repris le dessus. C'était oublier la nouvelle vague du web 2.0 qui était en train de naître.

— Ce qu'ils n'ont jamais compris [les experts], c'est que nous n'utilisions pas internet, écrit Joe. Il nous utilisait.

Même si j'ai deviné son potentiel avant la plupart des gens, je n'ai pas créé ce mouvement. Howard Dean n'a pas créé ce mouvement. Par bien des aspects, le mouvement a créé la campagne de Dean.

Pour Joe Trippi, la candidature de Dean passait dès lors presque au second plan. La révolution avait commencé. Une nouvelle génération cherchait à se réapproprier le pouvoir. La télé nous avait habitués à la passivité, internet nous poussait à l'action.

Joe, Dean et toute l'équipe consacraient quotidiennement des heures à lire les blogs, à poster des commentaires, à s'inspirer de ce qu'écrivaient les sympathisants. Le discours était devenu polyphonique. Une intelligence collective était à l'œuvre, une intelligence qu'aucun staff de campagne traditionnel n'aurait pu s'offrir, même à coups de millions de dollars.

Les blogs n'étaient pas un média à la mode mais le nouveau terrain politique. Il n'était pas question de traiter les blogueurs et leurs commentateurs comme des journalistes mais plutôt de les considérer comme des amis avisés.

Joe finit par connaître certains d'entre eux aussi intiment que ses collaborateurs les plus proches. Les blogs n'étaient pas un canal de diffusion de l'information mais un lieu d'échange. Ils projetaient leurs lecteurs assidus dans une nouvelle dimension politique. Au sujet de Blog for America, Joe dit :

— Il était le centre nerveux de la campagne. La blogosphère était l'endroit où nous trouvions des idées, du feedback, de l'argent, de l'aide – tout ce dont une campagne a besoin pour survivre. [...] Mais le blog officiel n'était qu'une voix parmi des milliers.

Un blogueur, de sa propre initiative, envoya un message à toute la communauté Meetup proposant d'offrir quelques dollars à Howard Dean. À la grande surprise de Joe, en une semaine, 400 000 dollars arrivèrent dans les caisses.

Plutôt que de courtiser de grandes fortunes et des sociétés, Joe comprit qu'il valait mieux laisser l'argent affluer de lui-même. S'appuyer sur une multitude de sympathisants qui offriraient de petites sommes était la meilleure façon de rester indépendant et de résister aux pressions des groupes financiers.

Les 400 000 dollars représentaient beaucoup et peu : l'équipe de terrain, avec le traditionnel porte-à-porte, avait récolté 2 millions. Mais John Kerry possédait déjà 10 millions. Il fallait trouver de nouvelles idées.

Joe créa une Dean TV sous la forme d'un vidéo blog. Le candidat y apparaissait au naturel, sans aucun habillage cosmétique. Les sympathisants publièrent rapidement leurs propres films. Une fois de plus, la campagne leur appartenait. Joe Trippi résuma cette idée en une phrase, que Dean ne cessa de répéter :

— Le plus gros mensonge que des gens comme moi disent devant des gens comme vous depuis une scène lors d'une élection est que, si vous votez pour nous, nous allons régler tous vos problèmes... En vérité, le pouvoir de changer ce pays est entre vos mains.

Howard Dean n'était plus un politicien adepte du management hiérarchique (je sais ce qui est bon pour vous), il se transformait peu à peu en leader, son but était d'insuffler de l'énergie à ses concitoyens. Tous les sympathisants le pressentaient : quelque chose de plus grand qu'eux était en train de se produire. La démocratie changeait de nature.

Le dimanche 22 juin 2003, Tim Russert invita Howard Dean à son émission *Meet the Press* sur NBC, l'un des shows politiques les plus prisés des États-Unis. Il poussa le candidat démocrate à la faute, le ridiculisant avec des questions stupides. Au QG de campagne, c'était la consternation. Mais les blogueurs vinrent à la rescousse, multipliant les messages de soutien. Leur riposte fut terrible, sans précédent. La télévision ne réussit pas à tuer Dean. Internet se révéla le plus fort.

Les donations spontanées se multiplièrent exponentiellement. Personne n'en croyait ses yeux. Joe publia tous les chiffres sur le blog. En jouant cartes sur table, il inventait la campagne Open Source. La transparence payait cash. Howard Dean récolta plus que ses concurrents. À six mois des primaires, il virait en pole position. Les médias qui l'avaient dénigré ne pouvaient alors plus l'ignorer.

Et pourtant Dean fut battu

En août, Dean caracolait en tête des sondages. Sur *moveon.org*, site anti-Bush consacré à la démocratie participative, plus de 300 000 internautes démocrates votèrent lors d'une primaire virtuelle. Howard Dean en sortit vainqueur avec 44 % des suffrages devant Dennis Kucinich (24 %) et John Kerry (16 %).

Malgré ces chiffres encourageants, Joe Trippi était pessimiste, peut-être parce que sa santé se dégradait. Le manque de sommeil et une diète McDonald avaient réveillé son diabète mais aussi nombre de ses craintes. Depuis le début, Dean ne faisait confiance qu'à ses vieux compagnons de route. Joe n'avait jamais disposé des clés du tiroir-caisse ni de la liberté de recruter des consultants d'expérience. À un moment donné, la seule bonne volonté ne suffit plus.

Au fond de lui, Dean se sentait poussé sur un terrain qu'il jugeait trop populiste. Quelque part, le slogan « vous êtes le pouvoir » lui restait en travers de la gorge. En quelques mois, il avait beau être passé de technophobe à inconditionnel des blogs, il lui restait encore un long chemin à parcourir avant de rejoindre Joe et ses idées progressistes.

— Médecin de formation, son programme ressemblait à la sacoche d'un docteur de campagne, contenant tout : depuis les antibiotiques jusqu'à l'aspirine et au remède de charlatan, expliquèrent David North et Bill Van Auken sur le World Socialist Web Site[7]. C'était une combinaison éclectique de mesures de gauche, de droite et du centre. Il critiqua violemment la guerre en Irak tout en accusant Bush de ne pas conduire « la guerre contre la terreur » efficacement. Il plaida pour une couverture maladie universelle tout en jurant que la « responsabilité fiscale » serait le « cachet de la présidence Dean ».

Début octobre, Joe voulut démissionner. Ses amis et sa femme l'en dissuadèrent. Il restait toutefois persuadé que la bataille était perdue. Il avait beau être un adepte convaincu du modèle participatif, il ne renonçait pas tout à fait au contrôle, désirant disposer d'un staff de campagne plus performant et plus étoffé. Ce désir sans cesse renouvelé trahissait chez lui une certaine ambiguïté. Il aurait pu se reprocher ce qu'il reprochait à Dean : une forme de conventionnalisme.

Il y a un pas entre avoir des idées et les mettre en œuvre. Joe se heurtait en fait à un problème difficile : comment convertir la force qui montait des militants en une force qui redescendrait vers tous les Américains ? Comment synthétiser les idées qui fusaient dans tous les sens ? Comment les traduire en une politique cohérente ? Comment faire l'interface entre le nouveau monde politique et l'ancien ? Soit il fallait changer la nature même de la démocratie, soit il fallait trouver d'urgence une solution car les élections se joueraient dans les urnes traditionnelles, non sur internet.

Le discours polyphonique des militants, alimenté par le profond mécontentement de beaucoup d'Américains dû à la guerre en Irak et aux mesures économiques favorisant l'oligarchie financière, devenait de plus en plus bruyant. Dean avait du mal à se faire entendre. Il était devenu le leader d'un mouvement plus qu'un candidat à la Maison-Blanche. Pour quelles idées voteraient les électeurs ? Celles d'un militant, celles de Dean, celles de Joe ? Personne n'était capable de le dire. En soi cela ne posait pas de problème mais, pour gagner des élections, le discours devait sonner juste.

— Au fur et à mesure que l'insurrection de Dean au sein du parti démocrate recueillait du soutien, la confusion s'installait sur la direction que ce mouvement pourrait prendre mais aussi sur l'inconsistance de la politique de l'ancien gouverneur du Vermont, précisèrent David North et Bill Van Auken. Dès que la campagne rencontra de sérieuses difficultés, Dean n'eut guère mieux à proposer, en terme de réponse politique, que des bravades creuses.

Alors que Joe doutait, la communauté Meetup ne cessait de grandir. Mi-novembre, elle comptait 140 000 membres. Les autres candidats finirent par comprendre que leurs approches centralisées ne pouvaient pas lutter. Ils promurent à leur tour leur communauté sur Meetup, incitant les blogueurs démocrates à parler d'eux.

Le succès populaire de Dean leur fit également comprendre que Bush pouvait être battu. Jusque-là, le Président semblait intouchable, mais Dean avait réveillé l'Amérique et le parti démocrate tout entier. Ses cadres – John Kerry notamment – croyaient soudain à leurs chances. Ils allaient se jeter dans la bataille des primaires, qu'ils avaient auparavant abandonnée aux seconds couteaux.

Mais Dean possédait une bonne avance. Sur un réseau, la popularité amène la popularité. Cette croissance de la popularité est souvent exponentielle car chaque nouveau nœud du réseau devient capable d'en recruter de nouveaux. Fin 2003, avec 190 000 membres, la communauté Meetup de Dean était trois fois plus importante que celle de Wesley Clark, elle-même trois fois plus importante que celle de

John Kerry, elle-même trente fois plus importante que celle de Dick Gephardt.

Chaque mois, les sympathisants de Dean organisaient environ 800 réunions, plus que n'aurait pu en contrôler un QG de campagne. Bien au-delà de la campagne elle-même, ils s'engagèrent dans des actions collectives comme le nettoyage des rivières et des côtes. La politique était en train de se faire ici et maintenant. En parallèle, les dollars affluaient dans les caisses, 50 millions au total, un record pour un candidat aux primaires du parti démocrate. Plus de 600 000 sympathisants s'étaient déclarés favorables à Dean.

C'était du jamais vu. Joe aurait dû retrouver l'espoir. Il avait réussi sur internet mais il sentait qu'il ne pouvait gagner sur le terrain traditionnel. Dans l'Iowa, où les primaires débuteraient en janvier, les délégués inexpérimentés étaient incapables de compter leurs supporters. Tout se faisait à la louche. Ce n'était pas bon signe.

Joe proposa de renoncer à ce scrutin pour se concentrer sur les autres États, où les sympathisants démocrates étaient plus jeunes et où Dean avait plus d'avance dans les sondages. Encore une fois, les proches de Dean ne voulurent rien entendre.

Dans le staff de Dean, il y avait en fait deux équipes : la génération internet, les adeptes du modèle participatif et collaboratif, et les traditionalistes, adeptes du management hiérarchique. Au final, leurs divergences philosophiques s'avérèrent inconciliables, d'autant plus que Dean avoua n'avoir jamais songé à être élu Président. Tout ce qui se produisait dépassait ses attentes et expliquait son amateurisme. Joe savait que la bataille était perdue.

Lorsque, le 9 décembre 2003, l'ancien vice-président Al Gore apporta son soutien à Dean, Joe ne fut même pas mis au courant. Une fois cette annonce rendue publique, il comprit qu'elle arrivait trop tôt. Elle ne fit qu'exciter l'animosité des autres prétendants démocrates, qui s'acharnèrent sur Dean à coup de spots télévisés.

— Les réactions de l'ancien gouverneur du Vermont aux attaques concertées visant à miner sa candidature devinrent de plus en plus pitoyables, à la fois sur les plans politique et personnel, expliquèrent David North et Bill Van Auken. Les faiblesses et les contradictions de sa politique apparaissaient toujours plus clairement. Alors qu'il avait entamé sa course à la candidature en dénonçant la guerre en Irak, il eut recours de plus en plus fréquemment à la critique du nouveau favori, le sénateur du Massachusetts John Kerry, en l'attaquant sur son opposition à la première guerre du Golfe, lancée par le père de Bush en 1991. Cette ligne d'attaque servit seulement à souligner que l'opposition de Dean au militarisme américain et à l'agression impérialiste n'était, au mieux, qu'épisodique et manquait de profondeur tant du point de vue de la compréhension théorique que des convictions politiques.

Profitant de ce manque évident de substance, Dick Gephardt commit alors un acte suicidaire. Il diffusa un spot télévisé dont le seul but était de casser Howard Dean. Gephardt réussit son coup. Mais cette tactique se retourne toujours contre son auteur. Gephardt et Dean s'effondrèrent ensemble dans les sondages pendant que Kerry et Edwards remontaient en flèche. La campagne qui aurait pu se gagner sur internet allait s'achever à la télévision.

Le cri d'Howard Dean

Le 19 janvier 2004, Dean ne termina que troisième des primaires de l'Iowa, derrière John Kerry et John Edwards. Après l'annonce des résultats, il prononça un discours devant des sympathisants particulièrement bruyants.

— C'est votre génération qui anime cette campagne parce que vous savez que le déficit d'un demi-milliard de milliards de notre Président vous sera facturé à vous et à vos enfants, parce que ce Président est en train de causer des dommages terribles à l'environnement et que vous devrez vivre avec. Nous allons changer ça. Vous avez le pouvoir de changer ça. Nous allons commencer ici, dès ce soir.

Pour se faire entendre, Dean s'époumona, oubliant les micros unidirectionnels des télés braqués sur lui, oubliant que les caméras le fixaient lui et non la foule en délire. Pendant 48 heures, les grands médias diffusèrent en boucle les cris d'Howard Dean, montrant son visage grimaçant et rougi par l'effort. Les téléspectateurs jugèrent que Dean s'était laissé emporter par l'émotion. Beaucoup décidèrent qu'il ne ferait pas un bon Président.

Les médias, qui n'avaient pas contribué à l'ascension d'Howard Dean, venaient de lui faire payer son indépendance. CNN eut beau s'excuser, il était trop tard. Le

27 janvier, Dean termina deuxième lors des primaires du New Hampshire, derrière John Kerry. Joe Trippi en profita pour démissionner. Aux yeux de tous les observateurs, il avait été le héros de la campagne. Il quittait le navire avant le naufrage, qu'il pressentait depuis des mois. Il avait repéré l'avarie mais personne ne lui avait permis de la colmater.

Le 17 février, Dean arriva troisième dans le Wisconsin. Le lendemain, il annonça qu'il renonçait à sa candidature. Internet avait fait monter le gouverneur Howard Dean très haut, très vite, trop vite sans doute, les télévisions l'avaient fait redescendre tout aussi vite, en partie peut-être parce qu'il représentait pour elles un danger. Sa campagne avait démontré que le modèle publicitaire traditionnel n'était plus omnipotent.

— La grande question pour les publicitaires, c'est : combien de temps avons-nous avant que les téléspectateurs ne zappent définitivement sur les nouveaux canaux ? explique une publicitaire restée anonyme sur le blog d'Axel Karakartal[8]. Un jour, le prime time de TF1 fera 500 000 spectateurs et non 10 millions. Internet et ses blogosphères pourraient accélérer ce mouvement.

Joe Trippi affirme aujourd'hui encore que la campagne d'Howard Dean est une grande victoire. Il ressemble au général russe Koutouzov dont Tolstoï dit dans *La Guerre et la Paix* : « Koutouzov, ce temporisateur, dont la devise était : patience et longueur de temps, l'adversaire des actions décisives, livre la bataille de Borodino en conférant aux préparatifs de ce combat une extraordinaire solennité. Et ce même Koutouzov qui avant la bataille d'Austerlitz avait dit qu'elle serait perdue, à Borodino, en dépit du fait unique dans l'histoire qu'après la bataille gagnée l'armée doit reculer, lui seul, contredisant tout le monde, affirme jusqu'à son dernier jour que la bataille de Borodino est une victoire. »

Howard Dean avait terminé sa campagne mais ses idées et ses méthodes restaient d'actualité. Il lança bientôt Democracy For America, une association de promotion de la démocratie participative[9]. Pour lui, il n'y avait plus aucun doute : à l'avenir, les citoyens joueraient un rôle central dans la vie politique.

Après l'échec de John Kerry face à George Bush, Howard Dean devint le nouveau président du parti démocrate. Ses 600 000 sympathisants étaient toujours là. Malgré la défaite électorale, ils avaient pris goût à une nouvelle forme de politique. L'écrasante victoire démocrate de novembre 2006 leur doit beaucoup. Toute une génération jusque-là dépolitisée a retrouvé l'espoir. La politique peut à nouveau appartenir à tous.

Depuis la fin de l'aventure Howard Dean, chaque jour, partout dans le monde, de nouveaux blogs politiques se créent et les blogueurs prennent de plus en plus confiance en leurs moyens d'action. Ils maîtrisent dorénavant l'image, le son et le texte, rivalisant avec les grands médias. À chaque bataille électorale, ils deviennent de plus en plus vigilants.

Grâce à eux, la technologie, censée nous isoler, accentuer les inégalités entre les riches et les pauvres, les jeunes et les vieux, est en train de nous rapprocher. Elle nous donne le moyen de nous fédérer en un nouveau pouvoir : le cinquième pouvoir, un pouvoir émergeant, mal dégrossi, cherchant encore ses marques mais déjà capable de peser dans la vie politique.

Ce nouveau pouvoir n'est pas encore le pouvoir de tous ; néanmoins, chaque jour, de plus en plus de citoyens le rejoignent directement ou indirectement par l'intermédiaire de leurs réseaux personnels. Ce pouvoir de la parole et de l'action sera bientôt plus représentatif que tous ceux qui l'ont précédé dans l'histoire. Il sera le pouvoir du peuple. Après les pouvoirs exécutif, législatif, judiciaire et médiatique, il arrive en cinquième dans le temps pour devenir le pouvoir primordial auquel tous les autres seront subordonnés.

RETOUR
SUR UN RÉFÉRENDUM

Du oui majoritaire au non victorieux

Une porte comme celle-ci s'est entrouverte cinq ou six fois depuis que nous nous sommes redressés sur nos jambes. C'est le meilleur moment possible pour être en vie, alors que presque tout ce que nous croyions savoir est faux.

Tom Stoppard

Le 25 mars 2005 était un vendredi comme un autre. Des nuages remontaient vers les collines de Trets, entre Aix-en-Provence et Marseille. Ils n'occultaient pas la montagne de la Sainte-Victoire mais interdisaient un vol en parapente. Étienne Chouard retourna s'allonger. C'était son jour de repos, il n'avait pas cours, juste une pile de copies à corriger. Des épreuves de compta-gestion. Elles reposaient sur le bureau, près de l'ordinateur qui ronronnait.

Étienne savait qu'il aurait dû travailler puis profiter du week-end de Pâques. Impossible. Sur son visage de quadragénaire tanné par le soleil, on lisait l'inquiétude. Étienne était persuadé qu'avec le TCE, le traité établissant une Constitution européenne à propos duquel nous devions voter par référendum le 29 mai, les technocrates de Bruxelles allaient s'approprier le pouvoir à tout jamais.

Les copies pouvaient attendre. Le parapente et la famille également. Il y avait plus urgent. Étienne se leva, s'assit à son bureau, saisit un stylo rouge et se pencha sur un manuscrit d'une vingtaine de pages où il expliquait pourquoi il voterait non au TCE. Pour la centième fois, il relut son texte à la recherche de la moindre erreur.

L'ordinateur émit un gargouillis. Un mail venait d'arriver. Il y était question de la Turquie et de sa prochaine entrée dans l'Union européenne. Étienne bondit : dès qu'il était question de l'Europe, il se laissait emporter par la passion. Sans vérifier l'information, il compléta son texte d'une page où il affirmait que le TCE faciliterait l'entrée de la Turquie dans l'Union européenne. C'était, croyait-il, un argument de plus, une nouvelle mise en garde contre les abus de pouvoir. Avec son texte, Étienne espérait tirer la sonnette d'alarme et montrer que, tout là-haut, on cherchait à nous manipuler.

À 10 heures, un rayon de soleil transperça les nuages. Étienne se versa un verre de jus d'orange et sortit dans le jardin. Au nord-ouest, les nuages s'accrochaient au sommet de la Sainte-Victoire. En contrebas, Étienne lorgna vers le surplomb depuis lequel il aimait s'élancer en parapente. En 1997, de là, il avait réussi un vol historique qui, durant six heures, l'avait amené à Saint-Vincent-les-Forts, 120 kilomètres plus au nord. À cette époque, Étienne se moquait de la Constitution européenne. Européen convaincu, il votait oui chaque fois qu'il était question de l'Europe, comme en 1992 pour Maastricht.

Ces temps de naïveté politique étaient révolus. Étienne devait maintenant s'engager. À midi, fatigué de se relire, il retourna à son bureau. En quelques clics, il publia son texte sur son site web. À côté des photos de famille et des histoires de parapente, dans un dossier Europe, les internautes pouvaient dès lors lire une page intitulée « Une mauvaise constitution qui révèle un secret cancer de notre démocratie [1]».

Étienne savait que personne ne découvrirait son texte sans un peu de pub. Il envoya un mail à la liste ÉcoGest, à laquelle sont abonnés environ 3000 professeurs d'écogestion. Puis il fit suivre son mail à sa famille, à ses amis, à quelques journalistes dont il pêcha les adresses sur les sites des journaux et des radios. C'était un SOS, un appel de détresse, une bouteille lancée à la mer. Étienne n'avait pas deviné qu'elle s'échouerait sur une plage bondée et changerait le destin de l'Europe, prouvant que des gens ordinaires peuvent dorénavant accomplir des choses extraordinaires.

L'électrochoc du 29 mai 2005

Deux mois après la publication de la critique d'Étienne Chouard, le verdict tomba : 54,68 % des votants avaient dit non au TCE. L'Europe regarda la France avec sévérité : une fois encore, nous avions fait les originaux. Nous avions dit non alors que, après la ratification espagnole, tout le monde attendait un oui franc et massif.

Avons-nous cherché à faire les malins ? Avons-nous détourné le référendum de son objectif ? Notre décision était-elle justifiée ? Sommes-nous fondamentalement anti-européens ? Ces questions sont sans doute intéressantes mais je crois qu'une autre les occulte, une question d'une portée historique : internet, sous l'impulsion d'Étienne notamment, a-t-il joué un rôle central dans une élection démocratique ? C'est à cette seule question que je veux répondre. Il ne s'agit pas pour moi de débattre du TCE mais de chercher à comprendre comment l'opinion publique, initialement favorable au TCE, finit par voter contre.

Tout commença en décembre 2000, à Nice. Les chefs d'État et de gouvernement s'accordèrent sur la nécessité de simplifier les textes européens. Ils se retrouvèrent un an plus tard lors du Conseil européen de Laeken et évoquèrent cette fois la possibilité d'une « Constitution pour les citoyens européens ». Une convention présidée par Valéry Giscard d'Estaing se mit alors au travail. Le 13 juin 2003, elle aboutit à une première version du traité, qui fut ensuite révisée pour devenir le TCE[2]. Adopté le 18 juin 2004[3] à Bruxelles, ce texte devait encore passer une épreuve : être approuvé, soit par référendum, soit par voie parlementaire, dans chaque pays.

Dès cette annonce, l'association Democracy International exigea une ratification par référendum pour que les citoyens puissent participer à la décision[4], demande soutenue par 97 membres de la convention présidée par Valéry Giscard d'Estaing et par 300 ONG européennes. Les chefs d'État et de gouvernement ne les entendirent pas vraiment : seuls dix pays optèrent pour une ratification populaire[5]. Jacques Chirac tergiversa. Ce n'est que le 14 juillet 2004 qu'il annonça que les Français seraient consultés par référendum au deuxième trimestre 2005. Dès lors, la campagne commença.

Fabius le catalyseur

Cet été-là, Étienne Chouard passait ses vacances au Cap d'Antibes, dans la maison de famille de ses parents. Il écrivait la suite des deux manuels d'informatique qu'il avait déjà publiés. L'annonce de Jacques Chirac lui fit plutôt plaisir.

— J'étais content qu'on nous pose la question, c'était démocratique. Enfin, Chirac était un peu obligé : Blair venait d'annoncer qu'il interrogerait les Anglais.

Comme 70 % des Français, Étienne se préparait à voter oui. Jamais syndiqué, jamais encarté, jamais gréviste, jamais manifestant, c'était un modéré. Il votait plutôt centre gauche mais, par son éducation bourgeoise, son enfance dans le XVIe à Paris, son père inconditionnel de Giscard, les idées du centre droit ne lui étaient pas étrangères. Il baignait dans un courant de pensée proeuropéen.

— J'étais très naturellement ouiiste, comme au moment de Maastricht, sans avoir lu les textes en cause.

Pour Étienne, l'été suivit son cours. La canicule de 2003 était déjà un lointain souvenir. Il faisait bon vivre au bord de la Méditerranée. Sans se précipiter, les partis politiques affichaient leur position. UMP[6], UDF[7], socialistes et Verts se déclaraient pour le TCE. De leur côté, les partis des extrêmes[8], à gauche comme à droite, s'affichaient contre. Mais très vite les choses se compliquèrent chez les partisans du oui. Les frondeurs se firent de plus en plus nombreux. Laurent Fabius devint le chevalier du non chez les socialistes, s'opposant à Dominique Strauss-Kahn.

Début septembre, indifférent à ces débats, Étienne avait regagné sa maison sur les collines de Trets et avait repris son train-train de prof d'éco-gestion. Tous les matins, il laissait derrière lui la Sainte-Victoire et traversait la pinède avec sa Clio verte avant de plonger vers Marseille et le lycée Marcel-Pagnol. Sur la route, il écoutait le 7-9 de France Inter.

Le 28 septembre, Étienne était un peu plus pressé que d'habitude. Il n'avait cours qu'en début d'après-midi mais, au lycée, les serveurs informatiques dont il s'occupait étaient tombés en panne. Préoccupé, Étienne écoutait distraitement le journal où Laurent Fabius était invité.

— Est-ce que l'Europe, ce n'est pas précisément l'avenir de la France ? lui demanda Stéphane Paoli. Et donc, de ce point de vue, est-ce que votre non, le choix que vous avez fait, n'est pas un choix politique dangereux : dire non à l'avenir ?

Et Fabius de répondre :

— [...] je pense que la question qui nous est posée à travers ce projet de constitution, ce n'est pas pour ou contre l'Europe, mais c'est comment on y va le mieux. Mon sentiment, ayant étudié très précisément ce texte, c'est qu'il va nous enfermer. Il est *irrévisable*, il ne permet pas ce que j'appelle «une Europe différenciée», il ne permet pas d'être suffisamment ouvert sur l'emploi. Donc, au nom même de l'Europe, au nom même de ma conviction européenne, je pense qu'il faut un meilleur texte.

Étienne était soudain attentif. Le mot *irrévisable* l'avait fait sursauter. Si la nouvelle constitution ne pouvait pas être révisée, c'était dangereux car toute innovation, tout progrès seraient interdits. Il écouta alors plus attentivement la suite de l'interview.

— On voit que cela fait longtemps que l'Europe pose toutes sortes de difficultés, qu'elle est difficile à construire, dit Paoli. Est-ce que le compromis n'a pas toujours été au fond la meilleure forme pour faire bouger l'Europe ?

— Bien sûr, je suis tout à fait d'accord, dit Fabius.

— Oui, mais là, vous arrivez et vous dites non.

— Non, non, attention ! Vous savez, c'est comme les polices d'assurance : le problème n'est pas simplement de savoir si c'est un peu meilleur ou un peu moins bon qu'avant. J'imagine que quand vous signez une police d'assurance, vous lisez ce que vous signez, et s'il y a des points fondamentaux avec lesquels vous n'êtes pas d'accord, vous ne signez pas ! C'est aussi simple que cela.

Étienne venait de comprendre qu'il allait signer un contrat sans le lire. En arrivant à Marseille, il n'avait pas décidé de voter non, il avait décidé d'étudier la question.

Santa Monica, Californie, seventies

Les vagues roulent sous les poteaux d'une jetée en ruine. De jeunes surfeurs zigzaguent entre les poutrelles écroulées. Un peu plus tard, ils se retrouvent sur la plage, désœuvrés, les vagues ne déferleront plus avant plusieurs heures. Ils se transportent alors jusqu'à la boutique de Zephyr Productions. À côté des planches, Jeff Ho vend quelques skates, des vieilleries passées de mode depuis le milieu des années 1960. Nos surfeurs s'en amusent. Sur leurs planches à roulettes désuètes, ils répètent les figures qu'ils reproduiront plus tard dans les vagues. Ils se prennent au jeu, participent à quelques concours de skate, alors des manifestations de kermesse.

Le documentaire *Dogtown and Z-Boys* raconte cette histoire. C'est un film extraordinaire. Il montre comment les membres de la Zephyr Skate Team, menés par Tony Alva, Jim Muir, Jay Adams et Stacy Peralta, inventèrent un nouveau sport et, au-delà, un art de vivre.

Ce film nous fait participer à une première historique. Nous assistons en direct à un acte créateur. Le suspense culmine lorsque, sur de vieilles images super-huit, nous voyons Tony Alva décoller avec son skate, se baisser pour le saisir, se retourner en plein vol et replonger dans la piscine asséchée à l'intérieur de laquelle il s'entraîne. C'était la première fois qu'un homme faisait ça.

Je n'ai jamais fait de skate mais je suis ému chaque fois que je regarde ces images. J'imagine que je vois l'homme préhistorique qui alluma un feu pour la première fois.

Détenir un moment historique, surtout un moment positif, un moment créateur, est exceptionnel. Lorsque Étienne m'a raconté son parcours entre Trets et Marseille le 28 septembre 2004, j'ai eu l'impression de revivre quelque chose d'aussi unique, certes pas à l'échelle de l'humanité, mais à celle, plus réduite, de la vie d'un homme. Quand Étienne quitta sa maison, c'était un homme ordinaire, une heure plus tard, après avoir écouté Fabius et Paoli, c'était toujours un homme ordinaire mais il se préparait à faire quelque chose d'extraordinaire.

Les Grecs anciens ne devenaient pas philosophes parce qu'ils suivaient des cours de philosophie, ils devenaient philosophes après une conversion. Un jour dans leur vie, un événement, sorte de satori, les poussait à se questionner philosophiquement. Tout homme qui traversait cette épreuve et cherchait à l'interroger était philosophe. La philosophie ne s'apprend pas à l'école, pas plus que la politique. On ne devrait entrer en politique qu'après une expérience initiatique. Étienne Chouard ne décida pas de devenir politicien : il commença par faire de la politique sans le savoir, parce que c'était nécessaire.

La conversion d'Étienne ne fut pas immédiate. Le 28 septembre, il replongea dans ses problèmes informatiques et dans ses cours, consacrant juste un peu de temps à lire le TCE à partir du site *politis.fr*. Quand, le 7 octobre, *Une certaine idée de l'Europe*, le livre de Fabius, sortit en librairie, Étienne ne songea pas à l'acheter. Il attendit le 10 novembre et un nouveau passage de Fabius sur France Inter pour se décider à le lire.

Début 2005, il découvrit *Europe, la trahison des élites*[9] de Raoul Marc Jennar. Ce manuel de défiance à l'égard des bureaucrates bruxellois devint son livre de chevet.

— Je le commence tranquillement, mais rapidement, ça devient fiévreux, je n'en crois pas mes yeux, tout s'éclaire... Comme une structure, une charpente que tu ne voyais pas jusque-là. Ce livre a changé mon existence parce qu'il m'a révolté pour longtemps. J'en ai acheté des brouettes pour l'offrir autour de moi. J'étais devenu un militant. Raoul m'a mis un coup sur la tête. « Tu vas te réveiller, oui ! » semblait-il me dire.

La bagarre entre Étienne et la Constitution européenne venait de commencer. Il lisait et relisait Jennar, l'annotait, le surlignait, recopiait des passages qu'il envoyait par mail à ses amis, aux profs inscrits sur la liste ÉcoGest. On lui tapa un peu sur les doigts. Chacun son métier. Mais plus rien ne pouvait arrêter Étienne.

Raoul Marc Jennar

Ce chercheur auprès d'Oxfam Solidarité Belgique et de l'URFIG[10], spécialiste du droit européen, est un activiste altermondialiste. Un des premiers signataires de l'appel des 200 contre le TCE[11], il avait publié sur le web, dès le 21 mars 2004, une mise en garde contre la bientôt fameuse directive Bolkestein, en fait une proposition de directive sur les services dans le marché intérieur de l'Union européenne[12].

Son coup de gueule intitulé « Nouvelle agression néolibérale de la Commission européenne » attira peu l'attention des médias français, à l'exception de l'hebdomadaire *Politis* et de *L'Humanité*, mais les syndicalistes et les altermondialistes s'en emparèrent et le propagèrent sur internet. Sans que le grand public le sache, la grogne était en train de gonfler. Des tracts circulaient sur les marchés mais aussi par mail. Des blogueurs commençaient à s'indigner.

Tout au long de l'année, Jennar s'affirma comme anti-TCE et anti-Bolkestein. Le 20 décembre, il publia sur le site du parti du travail belge une interview : « Les partisans du oui mentent pour faire avaler la Constitution européenne »[13].

Début février 2005, Jennar revint à la charge contre le TCE et le dynamita à la base en diffusant par mail « Quelques vérités sur Bolkestein ». Cet article fit rapidement le tour du web, profitant des liens établis durant l'année précédente, avant d'être publié le 24 février sur *legrandsoir.info*[14].

La polémique autour de la directive Bolkestein, qui était jusqu'alors restée confinée à la gauche altermondialiste, trouva un tremplin en rencontrant les citoyens mobilisés contre le TCE. La peur que les plombiers polonais raflent tous les emplois atteignit son comble. Le député européen vert Alain Lipietz essaya, en vain, de la désamorcer sur son site[15] :

— Seule vraie nouveauté dans le monde glauque de la rumeur, c'est le vecteur internet : celui-ci permet de diffuser, en un simple clic, n'importe quelle affirmation, dont on sait qu'elle sera instantanément reprise et dupliquée à l'infini, et finira dans des endroits où aucun démenti ne saurait l'atteindre... Ce mécanisme, basé sur l'amalgame, est simple, efficace... et écœurant.

Cette mise en garde parmi d'autres n'empêcha pas l'argument de Jennar de faire mouche. Cette fois, il trouva un terreau fertile dans les médias et dans l'opinion qui se braquaient de plus en plus contre le gouvernement de Jean-Pierre Raffarin [16] et jugeaient l'entrée de la Turquie dans l'Union déplacée. Presque soudainement, début mars, le oui s'effondra dans les sondages (fig. 2.1).

Jacques Chirac, sentant le vent tourner, consulta le Conseil constitutionnel et accéléra l'organisation du référendum, initialement prévu vers la fin du mois de juin. Le 4 mars, il annonça que les élections se dérouleraient le 29 mai [17] – le jour de la fête des Mères, ironisèrent certains blogueurs, affirmant que le Président voulait maximiser l'abstention.

L'annonce officielle du référendum ne changea pas la tendance. Autour du 15 mars, les Français étaient parfaitement divisés au sujet du TCE. Les jours suivants, le non prit l'avantage. À partir d'un simple mail envoyé par Jennar, diffusé par divers sites, commenté par les blogueurs, puis repris par les médias, l'opinion publique avait basculé.

Le oui majoritaire dans les médias

Que Jennar soit l'initiateur de ce revirement ou l'un de ses simples acteurs n'est pas un réel problème car il sera à jamais impossible de démêler la succession des événements et leurs interactions. Simplement, son argument arriva à point nommé, il précipita une érosion jusqu'alors presque imperceptible du oui.

Quand on regarde l'évolution des intentions de vote entre juin 2004 et mars 2005, on découvre un oscillo-gramme presque plat. Les Français sont pour l'Europe, ils ont décidé de voter oui. Les hommes politiques partisans du non, les Fabius et autres, pèsent peu sur les débats. Il faut attendre l'affaire Bolkestein et la grogne contre Raffarin pour assister à un renversement de tendance presque instantané.

Dans cette affaire, internet joua un rôle important car les arguments de Jennar y circulèrent pendant un an avant d'être repris et amplifiés par les médias. Sans internet, Bolkestein serait peut-être resté un document bureaucra-tique dont personne n'aurait jamais entendu parler.

C'est encore une supposition, personne ne peut refaire l'histoire. Mais une chose est sûre : les médias accordèrent leurs faveurs au oui, le non ne l'emporta pas grâce à eux. Très tôt dans la campagne, les blogueurs attirèrent l'atten-tion sur la partialité des grands médias.

— Si le non l'avait emporté au sein du parti socialiste, si donc le référendum avait été menacé, ç'aurait été pour la France un gros problème, dit Alain Duhamel le 2 décembre 2004 sur RTL [18].

Et il ajouta :

— Ce matin, dans les capitales européennes, il va y avoir beaucoup de soulagement.

Le 25 février 2005, de nombreuses associations dénon-
cèrent l'ostracisme dont le non faisait l'objet dans les
médias [19]. Par exemple, entre septembre 2004 et février
2005, l'émission *Question directe* sur France Inter reçut
34 personnalités favorables au oui contre 6 favorables au
non. La campagne officielle n'avait pas encore commencé
mais le déséquilibre était flagrant ; il se répétait de média
en média, au niveau national ou régional [20]. Nos maîtres à
penser, dans la lignée d'Alain Duhamel, défendaient le oui.
Presque tous les partis étaient divisés, mais cette division
n'apparaissait pas au grand jour.

À la fin de la campagne, le CSA [21] révéla que le oui avait
bénéficié de 59 % de temps de parole. L'Observatoire français des médias [22] réévalua ce chiffre, annonçant 73 %. Le
non ne l'avait donc pas emporté grâce aux médias. Je vois
deux raisons à son succès.

1/ Le non possède un avantage intrinsèque. Il est
toujours plus facile de critiquer que de défendre une idée.
Nous parlons toujours beaucoup plus de ce que nous n'aimons pas que de ce que nous aimons.

2/ Si les médias n'ont pas aidé le non, si durant les
premiers mois de la campagne les hommes politiques favorables au non n'ont pas réussi à inverser la tendance, c'est
que d'autres facteurs jouèrent. Le facteur temps tout
d'abord : il faut du temps pour faire changer d'avis une
opinion. Et puis, surtout, il y avait la montée du ras-le-bol
sur internet.

Cette fois, les tracts ne circulèrent pas uniquement de
main en main, sur les places de marché de nos villes, mais

aussi électroniquement. Et plus ils passaient de messagerie en messagerie, plus ils prenaient de poids, plus on les imprimait, plus on les distribuait à nouveau jusqu'à ce que, sous une nouvelle forme, ils retrouvent le web, qui les amplifiait encore.

Le cinquième pouvoir était en train de s'éveiller.

Pendant ce temps, dans la famille Chouard...

Lorsque le 4 mars Jacques Chirac annonça que le référendum se déroulerait fin mai et non fin juin, Étienne Chouard ressentit cette décision comme une manœuvre pour écourter le débat.

— Je l'ai vécue comme une malhonnêteté, dit Étienne. Au travail et en famille, je sentais bien qu'il suffisait de parler pour convaincre puisque la plupart des gens n'avaient rien lu ni entendu sur le sujet. On n'avait besoin que de temps.

Pourtant, le lendemain, sous un Paris enneigé, au cours d'une longue promenade, Étienne ne parvint pas à convaincre son père.

— Il m'a mis les nerfs, mon père, il m'a forcé à mieux articuler mes arguments. C'est lui qui a déclenché un geste d'écriture qui était prêt mais ne venait pas.

Ce samedi soir, Étienne se coucha tard mais ne s'endormit pas. Jusqu'à 3 heures du matin, il écrivit le premier jet de ses principaux arguments contre le TCE. À 6 heures, il se leva pour mettre ses notes au propre.

— Ça gamberge dur, je ne dors déjà plus.

Étienne soumit ses arguments à ses relations parisiennes puis regagna Trets. Après les cours, comme il faisait beau, il sortit en parapente et ne se mit au travail qu'à partir du 21 mars, étayant et clarifiant ses arguments, lisant tout ce qui se disait sur le TCE.

— Le 24 et le 25, il faisait gris. S'il avait fait beau, je serais sûrement allé voler, dit Étienne en riant.

Enfin, le 25 mars à midi, il publia son texte sur son site puis envoya son mailing publicitaire. Ce jour-là, Étienne ne pouvait pas savoir que le non était au plus haut dans les sondages. Il ne rejoindra ce niveau que le 29 mai, à l'issue du scrutin. En quelque sorte, la vague du non avait porté Étienne qui lui avait donné sa justification ultime, sans en être en aucune manière le responsable.

La réaction en chaîne

Il était près de 13 heures. Étienne scrutait l'écran de son ordinateur. Comme personne ne lui répondait, il créa une version PDF de son texte, version plus agréable à lire qu'un simple mail, et l'envoya à tous ses contacts.

— C'est ce PDF qui a fait le tour du monde.

Plus moyen de l'arrêter. Il avait échappé à son auteur. Dans l'après-midi, les premiers messages enthousiastes déferlèrent. Très vite, deux erreurs furent identifiées, notamment une au sujet de la Turquie, provoquée par la précipitation du matin. Les messages se succédaient par centaines. Après les amis et les collègues, des inconnus félicitaient Étienne. Tous disaient qu'ils faisaient suivre le texte à leurs amis. Le virus Chouard se propageait avec une virulence extrême. Le dimanche, Étienne était KO. Et pourtant, il devait corriger des copies. Le soir, il alla au cinéma voir *Le Cauchemar de Darwin*[23].

— Ça me bouleverse. Ça colle avec ma bagarre.

Étienne venait d'entrer dans un monde où les gens se parlent, échangent, construisent ensemble. Il avait rejoint le cinquième pouvoir. C'était comme renaître. Découvrir soudain la lumière. Étienne n'était plus seul, il avançait avec d'autres, pas forcément dans la même direction, mais il leur tenait la main.

Le lundi de Pâques, Étienne corrigea des copies ; le soir, il répondit à plus de 100 mails. Les jours suivants, il passa ses nuits à répondre à d'autres centaines de messages. C'était une avalanche.

— Et ça commence à taper, les affreux se réveillent.

Étienne comprit qu'il devait corriger les erreurs découvertes par ses lecteurs. Il le fit le 1er avril mais inutilement : c'était le PDF initial qui circulait toujours. Pas grave, Étienne se démenait comme un beau diable. Lui qui avait l'habitude de servir 20 ou 30 élèves se retrouvait en contact direct avec des milliers de personnes. C'était grisant et effrayant. Porté par cette vague, le 2 avril, Étienne publia une lettre ouverte aux journalistes qui, d'après lui, ne faisaient pas leur travail critique. C'était un pas de plus dans l'arène politique.

Le lendemain, l'assemblée du parti communiste se réunit sous le dôme du siège national, place du Colonel-Fabien.

— Il faut absolument que vous lisiez un texte capital sur la Constitution, lança un militant[24]. [...] Son auteur s'appelle Chouard, Étienne Chouard. Souvenez-vous, ça commence comme « chouan » mais ça finit comme « tête de lard ». C'est excellent : après l'avoir lu, on ne peut que voter non au référendum !

La machine infernale s'était déclenchée. Le texte d'Étienne était catapulté en orbite. Le 4 avril, *rezo.net* le repéra et le diffusa. Sur son blog[25], le romancier Martin Winckler inséra en note d'un article sur le TCE :

— Pour lire une critique très précise de la Constitution européenne, rédigée de manière lisible (contrairement à la constitution elle-même), cliquez sur l'icône ci-dessous.

Le lien menait au PDF initial d'Étienne. En même temps, le site d'Étienne était de plus en plus lié, donc de plus en plus accessible. Un de ses lecteurs anonymes visita le Big Bang Blog de Daniel Schneidermann, animateur d'*Arrêt sur Images*, émission de France 5, et posta un commentaire suite à un article sur le référendum[26] :

— À propos de déni de démocratie (question qui devrait être à mon sens au cœur du débat sur le TCE, avant même son orientation politique ou économique), voici la référence d'un texte que j'ai trouvé et qui pose le problème d'une manière plutôt claire et lisible.

Ce commentaire ne passa pas inaperçu. Le lendemain, le 5 avril, Schneidermann publia un billet sur Étienne dans lequel il écrivit notamment[27] :

— Internet dépouille l'argumentation de tout habillage d'autorité. Peu importe qui parle, seules comptent la sincérité, la construction, la rigueur, la documentation, l'originalité des textes. [...] M. Chouard, avant de parvenir jusqu'à moi, n'est passé par aucun des processus traditionnels de légitimation ou d'authentification (publication de livres, tribunes libres dans les journaux, apparitions télévisées). Pourtant, son texte m'a souvent touché. Des arguments élémentaires, sincères, de bon sens. Ainsi quand M. Chouard dit benoîtement : « Moi, quand je ne comprends pas, je ne signe pas », ce n'est pas un argument de prof de droit. C'est un argument de type de bon sens qui ne veut pas se faire refiler un contrat d'assurance vie. Sans doute, si M. Chouard avait écrit dans *Le Monde* ou dans *Libé*, aurait-il barré cet argument-là, il aurait trouvé que ça ne faisait pas très sérieux pour un prof de droit. Mais moi, après tous les arguments juridiques – apparemment solides – de M. Chouard-prof sur la disparition de la séparation des pouvoirs, ce sont peut-être ces quelques mots de M. Chouard client d'un démarcheur abusif qui m'ont touché.

Étienne ne pouvait suivre tous les débats. Il ne savait pas qu'un journaliste connu parlait de lui.

— Ça explosait partout sur le net, comment suivre tout ça ? C'était inhumain. Et il y avait ma messagerie... J'y recevais des embrassades, des pleurs de joie, des émotions poignantes de personnes âgées éperdues de reconnaissance... et à la fois des coups de boutoir d'une méchanceté et d'un mépris inimaginables. Des profs de fac m'écrivaient pour me féliciter et me conforter, d'autres m'insultaient. Moi, j'étais un bleu, je n'étais pas préparé, je n'avais aucune carapace. J'étais seul, un fragile petit bonhomme, sans structure, sans parti ou groupe pour me protéger. Il me fallait tout penser et faire seul. Les agressions me laminaient. Je me souviens être resté prostré des heures, respirant de plus en plus mal, la peur au ventre après avoir reçu le troisième message d'un prof de fac sadique. Chaque fois, j'avais peur qu'il ait raison, que je me sois mis dans un immense pétrin. Aujourd'hui, j'en souris : il avait tort sur tout. « Ce qui ne me tue pas me renforce » disait Nietzsche : c'est vrai.

Pendant qu'Étienne tentait de surnager tant bien que mal, les syndicalistes du SNUipp[28] du Loiret découvrirent le texte et le transmirent à *L'Humanité*. Le 9 avril, le journal publia dans son hebdo un article intitulé « Et si Étienne Chouard faisait gagner le non »[29]. Ce titre n'était même pas prophétique : le non caracolait déjà en tête des sondages et Étienne n'y était pour rien.

Chouard superstar

Le 11 avril, *bellaciao.org* reprit l'article de *L'Humanité* et les commentaires affluèrent[30]. Versac s'en fit l'écho sur *publius.fr*, site dédié à l'Europe, plutôt favorable au oui[31]. Sur le Big Bang Blog, Schneidermann récidiva, faisant d'Étienne un héros[32] :

— Ça devait arriver. Étienne Chouard est une star.

Le 12 avril, *legrandsoir.info*[33] republia la lettre adressée par Étienne aux journalistes. Pendant ce temps, Jacques Chirac préparait la contre-attaque. Le 14 avril, sur TF1 et en direct de l'Élysée, sous la supervision de PPDA, il réunit une cinquantaine de jeunes pour discuter de l'Europe. La mise en scène était parfaite, toutes les questions préparées, il n'y avait aucune place pour l'improvisation[34]. Le soir même, les critiques fusèrent sur les blogs.

— On nous prend vraiment pour des abrutis, pouvait-on lire un peu partout.

Le lendemain matin, dans *Libération*[35], Schneidermann revint sur l'événement en se montrant un inconditionnel d'Étienne. Dans son article, « Chirac-Chouard le vrai débat », il dit :

— Étienne Chouard n'a pas été invité à l'Élysée. Sans doute PPDA n'avait-il pas son adresse. [...] Étienne Chouard n'a pas été invité, tant pis pour Chirac. Et tant pis pour le oui. Et pour le spectacle. Car Étienne Chouard est aujourd'hui, en France, le principal champion du non. Eh oui. Ce n'est pas Fabius. Ce n'est pas Besancenot. Ce n'est pas la caryatide Marine Le Pen. Ce n'est pas de Villiers. Ce n'est pas Mélenchon. C'est Étienne Chouard.

Malgré cet éloge, Chirac réussit son coup. Le non dégringola dans les sondages. L'effet Chouard n'était pas encore capable de contrer le président de la République. Mais les partisans du oui percevaient le danger. Le 18 avril, sur France Inter, Bernard Guetta répondit à la lettre adressée aux journalistes[36]. Le 20 et le 21, la presse marseillaise célébra sa nouvelle célébrité[37]. Le 22 avril, Dominique Strauss-Kahn écrivit avec une certaine condescendance[38] :

— Internet a pris une dimension nouvelle dans cette campagne pour le traité constitutionnel, pour le meilleur et parfois pour le pire.

Les défenseurs du oui retrouvaient le moral. Ça n'empêchait pas les journalistes de parler de plus en plus d'Étienne. Une équipe de LCI vint le filmer chez lui, à Trets. Le 24, le reportage passa au 20 heures de TF1, juste avant l'intervention de Lionel Jospin, qui faisait son retour en politique pour soutenir le oui. Après la charge de Chirac dix jours plus tôt, cette seconde salve ouiiste confirma l'affaissement du non. Le 25 avril, un mois après la publication du texte d'Étienne, les Français étaient à nouveau partagés au sujet du TCE. Le lendemain, le oui reprenait l'avantage, mais plus personne ne pouvait ignorer Étienne et surtout son argumentaire.

Après RMC et France Culture, le 30 avril, *Libération* publia : « Sur internet, le champion du non c'est Étienne Chouard. » Le jour même, Schneidermann enregistra un numéro d'*Arrêt sur Images*[39] avec pour principaux invités Étienne Chouard et Versac[40]. L'émission fut diffusée le lendemain sur France 5 sous le titre « Constitution : les experts d'en bas ».

— Ne me faites pas tant confiance, je ne suis pas une référence, dit Étienne. Continuez à analyser, lire et dialoguer, pesez le pour et le contre.

Le 9 mai, place de l'Europe à Paris, les partisans du non se retrouvèrent pour dénoncer la partialité des médias, trop favorables au oui[41]. Pourtant, ces mêmes médias, français mais aussi internationaux, accordaient de plus en plus d'attention à Étienne : il devenait le Don Quichotte du non[42], un non qui à nouveau reprenait l'avantage dans les sondages.

L'effet Chouard, né sur internet, propagé par des milliers d'internautes, repris dans la rue, dans les restaurants, dans les bureaux, contrebalançait la riposte Chirac-Jospin. Les Français allaient voter non à la Constitution européenne.

Leçon de politique

Dorénavant, le danger peut venir de n'importe où, n'importe quand, de n'importe qui. Par le passé, les hommes politiques connaissaient leurs alliés et leurs adversaires. Cette époque est révolue. Nous entrons dans une période d'incertitude politique, explique Pierre Rosanvallon, professeur au Collège de France [43]. Pour lui, penser la démocratie devient de plus en plus complexe.

Début 2005, Laurent Fabius ne savait pas qu'il trouverait un supporter de poids en la personne d'Étienne Chouard, il ne savait même pas qu'Étienne existait, il était loin de se douter qu'un anonyme pèserait plus que lui lors du référendum. Il n'avait pas encore compris qu'un nouveau pouvoir était en train de naître.

Étienne ne fut pas le seul héros du référendum. Il était un homme de terrain, un soldat comme un autre, mais les projecteurs se braquèrent sur lui parce qu'il exprima dans son texte du 25 mars les doutes que les partisans du non avaient en tête mais ne formulaient pas.

Raoul Marc Jennar joua un rôle plus important : parce qu'il influença Étienne avec son livre et parce qu'il sortit de l'ombre l'affaire Bolkestein. Mais Jennar est un écrivain, un chercheur, ce n'est pas un anonyme – même s'il n'est pas une vedette. Il n'est pas monsieur Tout-le-monde, pas tout à fait quelqu'un d'ordinaire. Et les journalistes comme le public s'intéressèrent à Étienne car à lui seul il symbolisait la possibilité d'agir pour tout un chacun. Son histoire démontrait que, grâce à internet, il n'y avait plus de montagnes infranchissables, surtout pas de montagnes politiques.

Chaque débat de société fait émerger une ou deux personnalités. Cette fois, ce fut Étienne, grâce à internet. Il est devenu l'icône du référendum, comme Brigitte Bardot l'égérie de la Nouvelle Vague. Chaque époque, chaque mouvement historique se cristallisent ainsi, par souci de simplification, autour d'un personnage, soudain porté au pinacle. À cette personne alors d'assumer son destin.

— Je suis un citoyen qui n'aspire à aucun pouvoir, sauf celui de participer à l'écriture des limites des pouvoirs, dit Étienne. Il faudrait une poignée de gens comme moi, dévoués et candidats à rien, pour bâtir des institutions honnêtes et révisables à tout moment à la lumière de l'expérience. Je me dédie dorénavant à cette tâche. Ma vie est un esclavage. Mais comme il est volontaire et que j'ai l'impression de servir à quelque chose d'important, je tiens et je continue.

Depuis l'affaire Dreyfus, Zola est le prototype de l'intellectuel engagé : un homme de lettres, un artiste ou un scientifique qui publie dans la presse ses accusations. Début 2005, Étienne Chouard n'avait rien d'un intellectuel. Il n'était ni célèbre ni invité par les médias. Simple professeur de lycée, il était un citoyen anonyme mais vigilant. Grâce à internet, il se forgea une opinion, l'argumenta puis la diffusa. Avec nombre de blogueurs, souvent ses adversaires acharnés, ils incarnent une nouvelle version de l'intellectuel engagé, l'intellectuel citoyen, le citoyen engagé.

Pour beaucoup, son combat reste celui du non. Internet ne serait en politique que porteur d'une force négative. Oui, Étienne était contre mais, à force d'être contre, il découvrit, selon lui, comment améliorer la Constitution européenne. Aujourd'hui, sur son site, dans un projet collaboratif auquel nous pouvons tous participer, il est en train de la réécrire.

Les nouvelles technologies apparaissent comme un nouveau champ d'expérimentation politique. Elles redonnent aux citoyens le moyen d'agir, surtout le moyen d'agir ensemble. Par essence distribuées et non hiérarchiques, elles nous forcent à assumer nos responsabilités. Si nous ne faisons pas une chose, personne ne la fera à notre place.

Si tu as besoin d'un programme informatique qui n'existe pas, regarde les programmes déjà écrits, réutilise-les, crée le tien et distribue-le librement. Tu n'as aucune raison d'accuser un éditeur de ne pas faire le travail que tu peux faire toi-même.

Si tu ne trouves pas une explication dans une encyclopédie, écris-la toi-même. Ne laisse pas un éditeur décider de ce qui est bon ou de ce qui ne l'est pas.

Si tu aimes un groupe de musique obscur, diffuse ses morceaux, recrute de nouveaux fans. Tu n'as pas besoin qu'une major s'occupe de cette promotion et s'enrichisse au passage.

Si tu as des idées politiques, prends ton bâton de pèlerin, essaie de convaincre tes relations, va sur le terrain, n'attends pas qu'un homme providentiel réponde à tes attentes.

Voter n'est plus qu'une forme de participation parmi d'autres. À côté du militantisme et du syndicalisme, à côté de l'engagement associatif et du bénévolat, nous pouvons nous organiser spontanément, décider de boycotter un produit comme écrire de nouveaux textes de loi. Le droit de participer ne nous est plus donné de temps en temps, il nous appartient à chaque instant.

« Cette contre-démocratie n'est pas le contraire de la démocratie ; c'est plutôt la forme de démocratie qui contrarie l'autre, la démocratie des pouvoirs indirects disséminés dans le corps social, la démocratie de la défiance organisée face à la démocratie de la légitimité électorale », explique Pierre Rosanvallon.

Le cinquième pouvoir est né.

C'est le pouvoir du peuple, le pouvoir qui aurait toujours dû dominer la vie démocratique mais qui ne le pouvait faute de moyens. Aujourd'hui, internet lui offre ces moyens. En s'interconnectant, en devenant des connecteurs, les citoyens prennent leur destin en main. Le cinquième pouvoir, c'est nous, la société civile.

JOURNALISTES CITOYENS

Nous sommes le média

*Législateurs patriotes, ne calomniez point la défiance. La défiance,
quoi que vous puissiez dire, est la gardienne des droits du peuple ;
elle est au sentiment profond de la liberté ce que la jalousie est à
l'amour.*

Robespierre[1]

Asnières-sur-Seine, banlieue nord-ouest de Paris, au milieu
de la nuit. Il fait froid, il a plu, le macadam brille sous les
réverbères. Deux cyclistes descendent la rue Pierre-
Brossolette. Ils ressemblent à Laurel et Hardy : l'un plutôt
petit et rebondi, l'autre un géant qui fait penser à Popeye
lorsqu'il vient d'ingurgiter une ration d'épinards.

Arrivés place de l'Hôtel-de-Ville, ils s'immobilisent
devant les panneaux d'affichage réservés aux citoyens. Ils se
saisissent d'un riflard, une lame mince et large utilisée par
les maçons pour enlever les bavures de mortier entre les
pierres, et lacèrent les affiches vantant les mérites du
député-maire Manuel Aeschlimann.

Le petit terroriste, surnommé agent 001, plante sa lame dans les couches de papier et trace une croix, puis il soulève le tout pour former une corolle multicolore qu'il enduit de colle à prise rapide.

— Un beau volcan, dit-il à l'agent 002 qui, sur son panneau, lacère, déchire et recolle avec un léger décalage, pour donner une impression de vitesse, comme sur les tableaux des affichistes Raymond Hains ou Arthur Aeschbacher dans les années 1960.

— Dépêchons-nous, dit-il, ils vont arriver.

Les deux hommes remontent sur leur vélo et filent en empruntant la rue de Nanterre. Leur prochain objectif : les panneaux devant une école primaire, eux aussi couverts d'affiches chantant les louanges de Manuel Aeschlimann.

L'agent 001 et l'agent 002 sont des activistes du FLPLA (Front de libération des panneaux libres asniérois). Ils entendent faire respecter la loi : les panneaux doivent être réservés à l'affichage d'opinion et à l'affichage associatif. La municipalité n'a pas le droit de les utiliser, surtout pas le droit de recouvrir les messages des citoyens.

Mais dès 6 heures du matin, une camionnette aux couleurs de la ville avec une équipe de colleurs d'affiches débute sa tournée. Sur *asnierois.org*, on peut lire [2] : « Des employés municipaux, payés avec nos impôts, recouvrent méthodiquement tous les panneaux libres avec des affiches payées également par nos impôts... Les panneaux d'expression libre sont ainsi *squattés* par des affiches coûteuses et inutiles puisque déjà présentes dans le même temps sur les 200 panneaux administratifs toujours perchés sur les réverbères de notre ville, malgré l'injonction du préfet de les supprimer. »

J'ai déjà lu ce texte lorsque, le 26 septembre 2006, je rencontre le FLPLA et les quatre principaux animateurs du blog collectif *asnierois.org* sur l'île de la Jatte, à Puteaux.

— On évite d'être tous ensemble à Asnières, dit l'agent 002. Ils savent qu'on se connaît, mais pas plus.

En les écoutant puis en me promenant dans leur ville avec leur regard, j'ai l'impression de visiter une république bananière. Mais je ne suis pas venu vers eux pour juger du comportement de Manuel Aeschlimann. Cette semaine-là, un dossier de *L'Express*[3] détaille les dérives du député-maire UMP et rapporte qu'une fois de plus des citoyens attentifs, jouant cartes sur table dans leur blog, ont réussi à porter au grand jour des affaires qui, sinon, auraient été étouffées.

« Cette vigilance de régulation a pour conséquence de construire l'*attention publique* comme une quasi-institution, invisible et disséminée, mais en même temps productrice d'effets majeurs, explique le professeur Pierre Rosanvallon[4]. [...] S'opère sur ce mode le passage à une sorte de *démocratie diffuse* dont le vecteur n'est pas tant l'extension des procédures de participation politique que la montée en puissance des différentes formes d'*attention sociale*. »

L'équipe d'*asnierois.org* s'est ainsi attribué un droit de regard. Depuis sa création fin 2003, *asnierois.org* est l'une des avant-gardes du cinquième pouvoir. Ses animateurs agissent sur internet, en publiant des articles, mais aussi sur le terrain.

— Certains panneaux municipaux sont recouverts jusqu'à six fois par jour, dit l'agent 001. Pas forcément par des affiches municipales mais souvent par des affiches que placent des colleurs payés par la mairie. La nuit, quand j'arrive devant un tel panneau, je frémis à l'idée de le massacrer. C'est un vrai plaisir.

— Oh oui, celui-là est beau ! dit l'agent 002 en riant. On se fend la pipe durant notre tournée qui dure deux heures trente. En plus, c'est bon pour notre cœur. On fait du fractionné : sprint, arrêt devant un panneau, sprint à nouveau. Parfois, on tombe sur des pièces magnifiques. Quand il commence à y avoir cinq centimètres d'épaisseur d'affiches, ça devient passionnant. On arrache tout, on charge ça dans un camion et on garde ça pour en faire des œuvres d'art. On a un rêve...

— Faut pas le dire, intervient l'agent 003.

— Oui, coupe, me dit l'agent 002 en riant si fort que je prends cette injonction pour une nouvelle plaisanterie. Chaque année les artistes asniérois exposent leurs œuvres. Nous, on a monté un mouvement qu'on appelle LABA : l'art brut asniérois.

— Pas larbin, glisse l'agent 001.

— Ou comment valoriser les rebuts de la dictature et faire des œuvres d'art avec, précise l'agent 003. L'art est le meilleur moyen de lutter contre la dictature. Nous avons bien compris qu'en passant par la justice, ce n'était pas possible, c'est trop lent : maintenant on passe à l'art.

Une relation d'amour-haine oppose *asnierois.org* au député-maire Manuel Aeschlimann.

— Une fois qu'il ne sera plus là, on risque de s'ennuyer, dit l'agent 004.

Avec humour, en encaissant les coups, en serrant les dents, en ne comptant pas les interpellations parfois musclées, l'équipe *asnierois.org* est en train de faire d'internet – et des blogs – un lieu de contestation et d'action. Il ne s'agit plus de peser, lors d'une campagne électorale, en faveur de tel ou tel candidat, mais d'appliquer un regard continu et critique sur les actes des élus.

« Dans la théorie classique du gouvernement représentatif, comme dans la pratique, les électeurs avaient pour fonction de légitimer les gouvernants, ces derniers se voyant ensuite reconnaître une capacité d'action autonome très large, explique Pierre Rosanvallon. Cela n'est plus vraiment le cas. [...] La légitimité des politiques qu'ils mènent est, quant à elle, mise à l'épreuve en permanence, elle doit être conquise jour après jour, au cas par cas. »

— Nous voulons donner l'exemple, dit l'agent 002. Comme on ne peut pas voter sur tout, à tout bout de champ, nous avons, avec le blog, trouvé le moyen de nous exprimer et d'être entendus. Malgré douze attaques en diffamation, nous sommes toujours aussi motivés. Lorsque nous disons « La vérité est sur *asnierois.org* », le maire a peur. Il cherche à nous ruiner par ses accusations. Mais nous refusons de prendre un avocat et d'engager des frais. Nous nous sommes toujours défendus seuls et nous avons toujours gagné nos procès. Il faut savoir que, quand vous diffamez quelqu'un, vous encourez une peine d'au maximum 15 000 euros. Ce n'est rien pour un politicien peu scrupuleux. Il vous détruit par la parole puis il vous faut deux ans de procédure pénale avant d'obtenir une réparation ridicule.

L'affaire Mayetic

Deux blogueurs, Miguel Membrado[5] et Bruno de Beauregard[6] firent les frais de cette stratégie diffamatoire. Leur histoire est édifiante.

1/ En août 2002, Bruno de Beauregard créa une association pour empêcher l'ouverture illégale d'un supermarché dans une zone pavillonnaire d'Asnières. Dans ce quartier habitait le président d'une fondation reconnue d'utilité publique, basée à Paris, qui promeut l'éthique et la solidarité en s'inspirant des travaux du philosophe, théologien et musicien iranien Ostad Elahi[7]. Bernadette Chirac était alors la présidente d'honneur de cette fondation.

2/ Après des mois de négociations, l'association parvint à empêcher l'implantation du supermarché. Tout aurait pu s'arrêter là mais, à l'automne 2003, la mairie – sans concertation – modifia le plan d'urbanisme. L'association se mobilisa et diffusa des tracts.

3/ Quelques jours plus tard, un millier d'Asniérois reçurent une lettre anonyme qui accusait l'association de Bruno de Beauregard d'être le paravent d'une secte cherchant à prendre le pouvoir à Asnières, secte dirigée par le président de la fondation Elahi. La semaine suivante, un courrier envoyé au nom de la majorité municipale et imprimé sur papier à en-tête de la mairie reprenait les mêmes accusations. Près de 40 000 foyers asniérois le reçurent. Coût estimé de l'opération : 60 000 euros.

4/ Francis Pourbagher, le directeur de cabinet du député-maire d'Asnières, accusa alors l'un des membres de l'association, ingénieur au CEA, d'avoir tenté de l'écraser avec sa voiture. Le soi-disant chauffard resta une journée en garde à vue au commissariat. Pour la petite histoire, le directeur de cabinet était lui aussi d'origine iranienne.

5/ Dans le but de se défendre contre la campagne de diffamation orchestrée par la mairie, l'association déposa une plainte, la fondation en déposa trois. Les procès en première instance se déroulèrent entre avril et septembre 2005 et donnèrent gain de cause aux plaignants.

6/ La municipalité contre-attaqua immédiatement avec une nouvelle campagne de diffamation, cette fois soutenue par la presse. Le 22 octobre 2005, un article du *Monde* intitulé « Une fondation mystico-religieuse inquiète les services de renseignements » accusa une nouvelle fois Bruno de Beauregard d'appartenir à une secte. Le journaliste Gérard Davet y écrivait : « M. de Beauregard [...] est le fondateur de la société Mayetic [...]. L'avocat de cette société est François Ameli, également conseiller de la famille Elahi. Dans un rapport récent, la DST [...] s'est émue de la situation. "Une certaine vigilance est maintenue concernant notamment la présence de certains adeptes au sein de structures sensibles, relate la DST. Au regard de l'approche philosophico-religieuse de M. de Beauregard, on peut s'interroger sur l'opportunité pour des organisations gouvernementales de faire appel à la société Mayetic pour ses solutions informatiques." »

La Direction générale des impôts, la gendarmerie nationale et même l'OTAN figurent parmi les clients de Mayetic. »

7/ Le soir même, France 3 affirma que Bruno de Beauregard était le dirigeant d'un groupe de dangereux assassins. Trois semaines plus tard, Karl Zéro répétait les mêmes accusations sur Canal +. Quand un député-maire, la DST et les RG mettent en cause un citoyen, nous leur faisons généralement confiance. Pourtant, la mairie d'Asnières venait de perdre successivement quatre procès. Pourquoi personne n'en parla ? Pour Bruno de Beauregard et son associé Miguel Membrado, c'était une catastrophe humaine et financière.

— Seules nos familles nous soutenaient, me racontèrent-ils. Nous étions morts socialement. Pourtant, cette histoire ne tenait pas debout. Par exemple, la Direction générale des impôts et la gendarmerie nationale n'étaient plus nos clients depuis 8 ans, l'OTAN depuis 2 ans. C'était une preuve, s'il en fallait, que les services de renseignements n'avaient pas enquêté, pas plus que les journalistes.

Ces explications n'empêchèrent pas leurs vrais clients de dénoncer leurs contrats. Fin novembre, Mayetic déposa le bilan : les 23 salariés se retrouvèrent au chômage.

8/ Le 20 décembre 2005, le journaliste, essayiste et réalisateur Alain Hertoghe publia sur son blog un article intitulé « Censure à l'AFP[8]». Il y expliquait qu'un journaliste de l'agence de presse avait découvert que les notes des RG étaient fausses. Après un appel du député-maire Manuel Aeschlimann, le patron du journaliste lui aurait déconseillé de publier son article. Alain Hertoghe écrivit « La communauté française du renseignement n'a mené en réalité aucune investigation sur ladite organisation Elahi. Plus étonnant encore : les auteurs de la note des RG citée par *Le Monde* assurent que son inspirateur ne serait autre que... Manuel Aeschlimann lui-même. »

9/ En janvier 2006, après la liquidation de Mayetic, Miguel Membrado et Bruno de Beauregard décidèrent de déballer les dessous de l'affaire. Miguel était un blogueur, il avait une petite audience, il se confia à elle.

— Notre histoire était presque trop énorme pour être crédible.

Mais, peu à peu, une soixantaine d'autres blogueurs commencèrent à s'interroger[9]. Très vite, ils publièrent des dizaines d'articles et se posèrent les questions tues par la presse. Comment un député-maire peut-il distribuer aux journalistes des notes classées « confidentiel défense » ? Comment peut il commander de fausses notes aux RG ? Vivons-nous toujours dans un État de droit ? De leur côté, nos protagonistes s'expliquaient sans cesse, répondaient à chacune des attaques avec beaucoup de patience.

— Les blogueurs nous ont sauvés, me dirent-ils. Nous n'étions plus seuls. Ça faisait chaud au cœur. Grâce à eux, le temps nous donnera raison. Tout ce que nous avons dit est en ligne, tout le monde pourra nous juger.

10/ En juin 2006, Francis Pourbagher, le directeur de cabinet du maire d'Asnières, écopa en première instance de 6 mois de prison avec sursis pour la dénonciation calomnieuse de l'ingénieur du CEA qui avait soi-disant tenté de l'écraser.

11/ Le 1ᵉʳ juillet, dans *Marianne*, le journaliste Philippe Cohen publia un article où il révélait les dessous d'une affaire loin d'être terminée. Pour la première fois en France, la blogosphère avait mis au jour un scandale politique. Bizarrement, Philippe Cohen ne rendit pas hommage aux blogueurs et à leur formidable travail d'investigation. Pourtant, sans eux, il n'aurait pas écrit son article et la loi de l'omerta aurait condamné Miguel Membrado et Bruno de Beauregard.

— Le cinquième pouvoir, pas besoin de nous faire un dessin, affirment-ils. Sans lui, nous étions finis.

Depuis, de nombreux articles, plus fidèles aux faits que celui du *Monde*, ont été publiés. Les deux entrepreneurs, soutenus par la blogosphère, se sont remis au travail. Expatriés en Californie, ils ont créé une nouvelle société [10]. Dommage pour les 23 emplois perdus en France, ils les recréeront ailleurs.

D'une certaine manière, leur terrible histoire servira dorénavant d'exemple à tous ceux qui devront se battre contre les injustices politiques, administratives ou gouvernementales et tous les abus de pouvoir. Pris dans une lutte qui les dépassait, ils ont démontré que les citoyens disposaient de nouveaux moyens d'action, des moyens puissants qui engagent la collectivité des autres citoyens. Plutôt que de chercher du secours auprès d'une autorité supérieure, ni objective ni indépendante, ils se sont appuyés sur la force souterraine du peuple – tout en faisant confiance à la justice.

Ne pas se laisser décourager

À Asnières, le combat continue sur le blog collectif *asnierois.org*.

— Nous rendons le maire fou, dit l'agent 004, nous le poussons dans ses derniers retranchements. Il vient de forcer son directeur de cabinet, Francis Pourbagher, à démissionner. Il n'avait plus d'autre choix que de faire sauter ce fusible. Plus nous nous faisons entendre sur internet, plus le maire déploie des méthodes de communication traditionnelles, affichage, tracts ou lettres pour occulter notre parole. Il essaie bien de faire intervenir des gens sur le blog officiel de la ville, mais sans conviction. Il préfère le papier, des forêts entières y passent afin d'écraser la parole des citoyens libres. Dans notre ville, l'opposition entre le cinquième pouvoir et le pouvoir exécutif a atteint son comble. De gros moyens sont mis en œuvre pour lutter contre nous.

J'ai voulu savoir comment tout avait commencé. L'agent 001 m'a expliqué la genèse d'*asnierois.org* :

— Au début, l'agent 004 écrivait des chroniques qu'il envoyait par mail à une liste de diffusion à laquelle étaient abonnés des Asniérois, dont moi. De temps en temps, je croisais des abonnés qui me disaient : « Parfois il est casse-couilles avec ses chroniques. » Comme il y avait des choses intéressantes, d'autres moins, j'ai expliqué à l'agent 004 qu'il fallait cesser d'envoyer les chroniques par mail, ce qui revient à forcer la main aux lecteurs. Un site est moins intrusif. Nous avons ouvert le nôtre le 17 décembre 2003.

L'article fondateur a été publié le 4 janvier 2004 [11]. Nous avons construit le site comme un fil d'informations, le dernier article repoussant les plus anciens.

— Tout de suite, ce fut un site collectif, explique l'agent 002. Les articles sont relus par au moins deux personnes avant d'être publiés. Nous nous sommes efforcés de nous en tenir aux faits objectifs. Nous avons adopté de nous-mêmes une rigueur journalistique. Nous ne faisons jamais d'hypothèses. Des faits, des faits, tout le temps des faits. Si nos lecteurs ne sont pas trop bêtes, ils aboutissent aux mêmes conclusions que nous.

OhmyNews

Cette rigueur, cette validation collective des articles, rappellent celles des journaux citoyens qui apparaissent sur internet. Leur ancêtre est *slashdot.org*, créé en 1997 par Jeff Bates. Sur ce site, dédié aux fondus de techniques, les lecteurs sont aussi les rédacteurs. Les colonnes leur sont ouvertes. Une fois publié, un article remonte à la une en fonction des notes que lui attribuent les internautes.

Par principe, l'information n'est pas *a priori* hiérarchisée. Aucun comité de rédaction ne décide de quoi il faut parler ou quelle information il faut mettre en avant. Ces choix s'effectuent par les lecteurs eux-mêmes, suivant le modèle participatif aujourd'hui appelé web 2.0. Si l'article répond à une attente, soulève des questions pertinentes, pose un problème préoccupant, il sera lu. L'actualité n'est plus faite par une élite mais par ceux qui la consomment. On parle de journalisme Open Source.

Le premier journal citoyen à caractère généraliste fut OhmyNews [12]. Avec ce site, créé le 22 février 2000 en Corée du Sud, Oh Yeon-ho inventa la presse du XXIᵉ siècle. Son journal offre aujourd'hui ses colonnes à plus de 50 000 cyber-reporters. Ils y publient chaque jour des centaines d'articles qui sont évalués et sélectionnés par un comité de rédaction, formé en grande partie des cyber-reporters eux-mêmes et par une équipe de journalistes professionnels, retravaillant éventuellement les sujets publiés.

Mais comme sur un blog, les lecteurs constituent le véritable comité de rédaction. Par leurs commentaires, ils traquent les erreurs et dénoncent les mensonges ou les raccourcis. Au final, l'information n'a jamais été aussi objective puisqu'elle jaillit d'une multitude de sources et bénéficie d'une validation croisée de la part de centaines d'yeux.

Moins de deux ans après sa création, OhmyNews entra dans l'histoire en devenant le premier site internet à faire basculer l'issue d'un scrutin électoral joué par avance. L'ère des cyber-citoyens – les netizens comme les appelle Oh Yeon-ho – commençait.

Révolution en Corée du Sud

Au début de la campagne présidentielle 2002, le réformateur Roh Moo-hyun ne comptait pas. Seul un député le soutenait, tous les journaux le négligeaient.

Tous ? Pas vraiment.

Dans le pays, trois groupes de presse ultraconservateurs et proaméricains possédaient la plupart des journaux et se partageaient 80 % du marché. C'était de notoriété publique depuis des années, journalistes et politiciens tentaient en vain de réformer le système médiatique pour qu'il reflète mieux la diversité des opinions. Trop tard néanmoins, le système s'était réformé de lui-même. Oh Yeon-ho, journaliste travaillant jusque-là pour la nomenklatura médiatique, avait lancé le journalisme citoyen.

« OhmyNews propose des visions différentes de la société coréenne, et je pense que beaucoup de jeunes lecteurs coréens désirent découvrir leur société sous différentes perspectives, explique Kim Soung-su, un philosophe et cyber-reporter [13]. »

Des milliers de cyber-reporters se mobilisèrent contre les conservateurs. Ces « diables rouges » de connectés, comme les appelèrent les journalistes traditionnels, publièrent alors des articles en faveur du réformateur Roh Moo-hyun.

Peu à peu, ils commencèrent à croire aux chances de leur candidat. Toutefois, ils ne parvinrent pas à inverser la tendance. Le 18 décembre 2002, à la veille des élections, le poulain du Président sortant [14], le conservateur Lee Hoi-chang, arrivait favori dans tous les sondages.

Ce jour-là, à 22 heures 30, Chung Mong-joon, le principal supporter de Roh Moo-hyun, déclara qu'il ne le soutenait plus. Les militants réformistes, bien que catastrophés, se ressaisirent aussitôt. Toute la nuit, ils publièrent des messages dans les forums et dans les blogs.

— Monsieur Chung a trahi son parti, Roh Moo-hyun est en danger. Sauvez le pays, votez pour Roh s'il vous plaît.

Ils téléphonèrent aussi à leurs parents conservateurs :

— Si Roh Moo-hyun échoue, j'en mourrai.

OhmyNews suivait ce sursaut militant en direct. Toutes les 30 minutes, les cyber-reporters publiaient un point sur la situation. Le 19 décembre au matin, au moment de l'ouverture du scrutin, 720 000 internautes avaient lu l'article sonnant le branle-bas de combat.

Mais les premiers sondages à la sortie des isoloirs donnaient le candidat conservateur vainqueur. Les diables rouges continuèrent leur matraquage sur internet. Ils envoyèrent des millions de SMS et de mails aux jeunes électeurs, les enjoignant d'aller voter. La victoire se joua dans les derniers instants. À la surprise générale, Roh Moo-hyun l'emporta avec une avance de 2,3 %.

Le soir même, Oh Yeon-ho écrivait sur OhmyNews :

— Aujourd'hui, en Corée, la puissance médiatique a changé de mains. Le pouvoir des médias est passé des journaux conservateurs et grand public aux netizens et aux médias internet.

En 2002, les Coréens de 20 à 40 ans s'informaient principalement sur internet. Comme ils représentaient 70 % des électeurs et étaient à 90 % connectés, ils contribuèrent à un renouvellement de la classe politique tout en consacrant une nouvelle forme de journalisme, le journalisme collaboratif. Oh Yeon-ho parla d'une « actualité de guérilla ».

Dan Gillmor [15], l'apôtre du journalisme citoyen, résuma cette révolution dans son livre *We the Media* : « Au XXe siècle, la presse fonctionnait dans un seul sens. Les journalistes professionnels écrivaient, et les lecteurs lisaient. [...] OhmyNews créa une presse à double sens. Les lecteurs n'étaient plus passifs. Ils pouvaient devenir journalistes à tout moment. OhmyNews repose sur un concept simple : chaque citoyen est un journaliste. »

Les citoyens pouvaient toujours acheter le journal, mais ils pouvaient aussi l'écrire et, en prime, être payés pour ça.

Après sa nomination officielle en février 2003, le nouveau président sud-coréen accorda son interview d'investiture en exclusivité à OhmyNews. Cet hommage non dissimulé célébra en même temps la première victoire politique de la génération internet.

Au cours de la Harvard Internet and Society Conference en décembre 2004, Oh Yeon-ho dit [16] :

— Internet est né en Amérique. Mais le journalisme collaboratif sur internet est né en Corée, avec le slogan « Chaque citoyen est un reporter ». Ce slogan signifie le changement du journalisme mais aussi de la société tout entière. [...] Le journaliste américain Creed Black définit une news comme quelque chose qui se produit près d'un journaliste ou d'un de ses amis. À l'époque d'internet, nous pouvons dire qu'une news est quelque chose qui arrive à un netizen ou se produit près de lui ou d'un de ses amis.

Lors de cette conférence mémorable, il raconta ses rencontres avec des personnalités politiques américaines, dont l'ancien vice-président Al Gore. Toutes lui demandèrent si internet allait changer la politique. Aujourd'hui, deux ans plus tard, nous savons que oui.

Crises dans les médias

Avec OhmyNews, Oh Yeon-ho inventa non seulement le média de demain mais aussi le modèle éditorial de tous les médias d'aujourd'hui. Gannett [17], le premier groupe de presse américain, ouvre dorénavant les pages de ses 90 journaux, dont *USA Today*, aux blogueurs.

Cette métamorphose du paysage médiatique – cette volonté de se rapprocher du lectorat – découle d'une désaffection croissante de ce même lectorat, ce qui entraîne une baisse des revenus publicitaires. Entre avril et septembre 2006, la diffusion des journaux américains a chuté de 2,8 % [18] : c'est tout simplement alarmant pour les éditeurs. En France, la même érosion s'accentue – la crise chez *Libération* en est la preuve.

Entre le XIXe siècle et aujourd'hui, la perception de la presse a totalement changé. Dès le XVIIIe siècle, avec la multiplication des gazettes, les journaux jouaient le rôle de contrepouvoir. Les lecteurs avaient l'impression que les journalistes les représentaient. S'ils n'avaient aucune légitimité juridique, dans la pratique, ils pesaient sur la vie politique.

« En 1789, les Français prennent en effet la parole et la plume en même temps qu'ils prennent la Bastille, écrit Pierre Rosanvallon. Ils attachent autant d'importance au nouveau pouvoir de s'exprimer librement qu'à celui de désigner leurs représentants. Le journal s'impose dans ces conditions comme une véritable institution politique chargée d'observer, de censurer, de dénoncer. [...] Le journaliste change du même coup de statut. Il n'est plus comme par le passé le modeste plumitif des lettres ou le serviteur salarié de puissants commanditaires. Il s'impose comme une figure politique centrale, intouchable et presque sacrée. »

Mais peu à peu, la presse est devenue une industrie comme une autre, se préoccupant avant tout de ses intérêts. Si ces derniers l'amènent à défendre le peuple, elle se range de son côté, sinon elle l'ignore ; le journaliste redevient alors un « salarié », un simple « plumitif ». La recherche aveugle de l'audience a fini par jouer en défaveur de cette même audience : lire la presse n'est plus qu'un loisir parmi d'autres, d'où le succès des titres people.

Maintenant que la presse ne représente plus les citoyens, certains – les blogueurs notamment – ont envie de se représenter eux-mêmes. Ils disposent d'une légitimité juridique, celle de citoyen. Ce qu'ils disent, c'est en leur nom, au nom de leur liberté d'expression.

Pierre Rosanvallon cite Pierre Daunou, représentant du Pas-de-Calais à la Convention en 1792, qui écrivit : « L'un des caractères essentiels de l'opinion publique est de se soustraire à toute direction impérieuse ; elle est ingouvernable. On peut la comprimer, l'étouffer, l'anéantir peut-être : on ne saurait la régir. » Pour Rosanvallon, elle dépasse toujours ceux qui souhaitent la représenter, en d'autres mots, elle ne peut être représentée ni par les médias ni par les élus. Les citoyens ne peuvent que le faire eux-mêmes : internet leur en offre les moyens.

Agoravox

Dans tous les pays, des journaux citoyens s'ouvrent sur le modèle OhmyNews. En France, Carlo Revelli créa Agoravox en mai 2005, juste avant le référendum : aucun tsunami politique à son actif mais déjà quelques frémissements. Tout d'abord, un lectorat sans cesse croissant : 1 million de visiteurs en décembre 2006, plus de 7 000 rédacteurs, une centaine d'articles soumis chaque jour.

Sur Agoravox comme dans tous les médias généralistes, la politique côtoie le sport et la culture. Le site est devenu une tribune pour de nombreux blogueurs mais aussi des journalistes comme Éric Laurent, grand reporter à Radio France et au *Figaro*, ou Denis Robert, l'investigateur rendu célèbre par l'affaire Clearstream.

Le 16 juin 2006, un jeune candidat à l'Élysée, Rachid Nekkaz, choisit Agoravox pour publier un long article expliquant les raisons de sa candidature à la présidentielle 2007[19]. Cet article, qu'aucun journal traditionnel n'aurait jamais publié, fut lu par 25 000 internautes et reçut 500 commentaires, certains élogieux, d'autres diffamatoires – mais c'est la règle du jeu.

Agoravox entrait sur la scène politique française. Discrètement, par la petite porte, comme OhmyNews à ses débuts, mais sûrement. Une étape de plus fut franchie en septembre 2006.

Revenons sur les faits. Le 2 septembre, François Bayrou déclarait sur TF1, au cours du journal télévisé[20] :

— Depuis des mois, il y a une orchestration médiatique pour essayer de faire croire aux Français que le choix est joué à l'avance et qu'ils n'ont plus qu'à se ranger derrière Nicolas Sarkozy ou Ségolène Royal. [...] Il se trouve que ce choix arrange beaucoup de gens, des intérêts puissants, les Français le sentent bien. [...] Je considère que l'argent et la politique doivent être séparés, notamment lorsque des puissances économiques détiennent de puissants médias.

François Bayrou semblait reprendre mot pour mot l'un des discours du nouveau président sud-coréen Roh Moo-hyun. Les paroles qui avaient réveillé les jeunes Coréens ne manquèrent pas d'électriser les internautes français.

Dès le lendemain, les blogueurs commentaient cette intervention qui ne pouvait que leur plaire : ils jugent en effet les médias avec méfiance, constatant qu'ils ne traitent qu'une partie infime des informations effectivement disponibles, suivant un filtre nécessairement partisan, justement à cause des alliances financières qui les lient au pouvoir.

Le 12 septembre, le président de TF1, Patrick Le Lay, et son second, Étienne Mougeotte, convoquèrent François Bayrou : ils eurent avec lui une explication musclée. Ils lui avouèrent qu'ils étaient pour la bipolarisation de la vie politique française. Rien de surprenant : un paysage politique simplifié est adapté à la diffusion télévisuelle.

Pour y voir plus clair dans cette affaire, le 15 septembre, le journaliste d'investigation John Paul Lepers rendit visite à François Bayrou et diffusa l'interview sur son blog[21], interview immédiatement reprise par d'autres blogs. Bayrou s'y expliquait franchement : pour lui, qu'une entreprise comme Bouygues signe des marchés avec l'État et, en même temps, fasse la promotion des hommes politiques sur ses médias est tout simplement antirépublicain.

— Tu me donnes des contrats, je t'aide à te faire réélire.

Le deal est simple : il n'y a rien à signer, tout le monde connaît son intérêt.

Étonné par ce phénomène, Carlo Revelli lança sur Agoravox un sondage présidentiel où figuraient François Bayrou, Nicolas Sarkozy et Ségolène Royal. Très vite, les trois candidats recueillirent environ 20 % des suffrages, les 40 % restants se reportant dans la catégorie « autres ».

Le 18 septembre, Carlo publia un article où il se demandait si Bayrou n'allait pas causer la surprise lors des présidentielles [22]. Pendant ce temps, le sondage récoltait toujours des suffrages. Le 21 septembre, 31 % des internautes d'Agoravox avaient choisi Bayrou, contre environ 15 % pour ses adversaires.

Certes, les internautes d'Agoravox ne constituent pas un panel représentatif de la population française, mais la tendance mesurée était suffisamment intéressante pour que *La Voix du Nord*, *Le Point*, *Nice-Matin*, *Le Monde*, *Le Parisien* et Canal + la reprennent.

Le 18 octobre, *Paris Match* publia un sondage Ifop : Bayrou récoltait entre 10 % et 15 % des suffrages au premier tour ! Du jamais vu pour le président de l'UDF. Internet avait influencé les médias, qui avaient à leur tour influencé les sondages.

On entend toujours dire qu'internet ne touche qu'une petite partie des Français – 27 millions tout de même : on oublie qu'il influence d'abord les journalistes puis, à travers eux, l'ensemble de la population. Internet n'est plus un univers en vase clos. Ce qui s'y passe influence toute la société.

Le cinquième pouvoir est aussi un pouvoir médiatique, ce pouvoir dépasse le réseau lui-même, il remonte jusqu'au sommet de la société avant d'en redescendre par les canaux médiatiques traditionnels.

Désireux d'aller plus loin, Carlo Revelli espère maintenant inventer l'investigateur citoyen. Il a doté Agoravox d'un wiki où les cyber-reporters mèneront des enquêtes collectives [23]. Chacun pourra joindre des pièces aux dossiers ouverts, leur apportant peu à peu davantage de consistance. La presse Open Source se donne ainsi les moyens de lutter à égalité avec les grands médias. Aux États-Unis, *participate.net*, suivant des procédés semblables, réalise des films collaboratifs à caractère humanitaire.

— À l'époque où, à cause de la crise de la presse, le journalisme d'investigation est en perte de vitesse, notre approche pourrait inverser la tendance, explique Carlo Revelli. Dispersés sur le globe, des milliers de reporters citoyens agiront comme des capteurs informationnels. Les journalistes Éric Laurent, Denis Robert, John Paul Lepers, Hélène Constanty... vont ainsi lancer des enquêtes collectives en s'appuyant sur la perspicacité du cinquième pouvoir. Nous espérons créer une synergie entre les journalistes professionnels et les investigateurs amateurs.

Retour à Asnières

— Nous sommes lus tous les jours par les rédactions nationales, explique l'agent 001. Personne ne sait à quoi ressemblera la France d'après. Nous, nous le savons : c'est Asnières-sur-Seine. Pour Nicolas Sarkozy, ce n'est pas bon. Nous avons mis le maire UMP dans l'œil du cyclone. Les médias adorent.

Sans passer par un site aussi populaire qu'Agoravox, les cyber-reporters asniérois réussissent pourtant à se faire entendre. Leur notoriété ne leur garantit pas l'impunité mais les protège des coups bas dont furent victimes les patrons de la société Mayetic, elle leur donne une force qu'aucune association de quartier n'aurait pu espérer par le passé.

— Nous n'avons pas peur, nous ne nous laisserons pas intimider, ni physiquement ni verbalement, confirme l'agent 002. Si nous avions pris des avocats pour nous défendre au tribunal, nous serions aujourd'hui en difficultés financières. Nous nous apercevons que, même quand on gagne un procès, ça coûte très cher. Le maire joue là-dessus. Il croyait nous faire taire par manque de moyens, il croyait nous ruiner comme il a ruiné Mayetic.

— Nous vivons dans un monde totalitaire, dit l'agent 004. Certains politiciens voudraient que seuls parlent ceux qui ont le droit de parler. C'est terminé. Nous avons tous le droit de nous exprimer. Dorénavant, dès que nous sortons une news, elle se répand comme la foudre. Le lendemain, on a un article dans *Le Parisien*. Notre photo de la réception de l'ambassadeur d'Iran à la mairie a même été reprise par le *Washington Post*. Ce jour-là, il n'y avait aucun média sauf la télé iranienne... et nous.

— Nous ne nous contentons pas de relayer des informations, nous allons les chercher où personne ne les a cherchées avant nous, dit l'agent 001. C'est pour ça que les médias s'intéressent à nous.

— Et nous commençons à avoir du pouvoir, ajoute l'agent 003. Par exemple, quand le maire prend des libertés avec le plan d'urbanisme, nous expliquons les choses pas à pas, les Asniérois y prêtent attention. Le maire a l'habitude des affichages sauvages mais, dès que les nouvelles lui sont défavorables, il adopte un mutisme illégal. Nous l'obligeons alors à placarder des affiches d'information. Derrière, le cahier d'enquête publique qui était vierge de toute remarque se transforme en six cahiers remplis de signatures de citoyens que nous ne connaissons même pas pour la plupart. Le maire commence à paniquer. Nous avons un impact.

— L'opposition socialiste se vante de n'avoir jamais attaqué les décisions du maire devant le tribunal administratif alors qu'il commet bêtise sur bêtise, s'exclame l'agent 002. Sous prétexte que le PS est un grand parti, ses militants se cachent derrière une opposition responsable. Moyennant quoi nous sommes seuls, nous les citoyens, face à notre municipalité. En nous mettant dans les pattes d'un petit maire de banlieue, nous lui compliquons singulièrement la vie.

— C'est lui qui a créé *asnierois.org*, dit l'agent 001. On ne dépasserait pas 300 lecteurs par mois s'il n'avait pas attiré l'attention sur nous.

— On n'est pas des théoriciens, on est des praticiens, ajoute l'agent 002. Ce qu'on a écrit n'a aucun copyright, ce qu'on a fait non plus. S'il pouvait y avoir mille *asnierois.org* en France, la démocratie locale fonctionnerait mieux.

Penser global, agir local

Le 16 novembre 2006, lors d'une conférence à la jeune chambre économique de Paris[24], j'ai beaucoup pensé à la méthode d'*asnierois.org*: agir, donner l'exemple, offrir les outils pour reproduire l'expérience.

Dans la salle, une auditrice affirma que, pour agir, il fallait au préalable des moyens. Nombreux sont ceux qui mentionnent ce prérequis. Alexandre Jardin, avec moi ce jour-là, expliqua qu'il ne fallait jamais se chercher des excuses pour ne pas agir. Il parla de son association, Lire et faire lire[25]:

— Les moyens existent, il faut les prendre où ils se trouvent.

Par exemple, l'association passe par les facteurs pour recruter les personnes âgées qui feront la lecture aux enfants des quartiers défavorisés.

Les nouveaux activistes agissent *a priori*, ils cherchent des moyens *a posteriori*. Ils agissent au niveau local, non parce que les problèmes y sont plus simples mais parce que l'action nécessite moins d'investissement humain et financier. De fait, elle est plus rapide. Par ailleurs, un fiasco local ne sera pas aussi grave qu'un fiasco national, voire mondial.

Dans le domaine environnemental, il est urgent d'agir localement. Comme personne ne connaît les solutions qui fonctionneront globalement, il faut en tester beaucoup dans de nombreux endroits. Si on n'adoptait qu'une poignée de mesures et qu'elles s'avéraient inefficaces, voire nocives, ce serait catastrophique car nous manquons de temps. Nous ne devons plus nous tromper : la planète se dégrade de jour en jour.

Dans notre monde de réseaux, les informations circulent, même celles qui ne font pas la une des journaux. Les actions locales couronnées de succès, spectaculaires ou non, se propagent de proche en proche, de blog en blog, et se généralisent peu à peu. Un blog comme *asnierois.org* fait des émules, donne des idées, crée de nouvelles vocations.

L'un des animateurs de la jeune chambre économique de Paris commenta plusieurs exemples de propagation d'actions locales. Après la Seconde Guerre mondiale par exemple, de nombreux centres-ville européens étaient dévastés. Un peu partout, des architectes modernistes proposèrent de tout raser pour reconstruire du neuf. À Lyon, les membres de la jeune chambre œuvrèrent pour la réhabilitation des vieux bâtiments. De Lyon, le mouvement se propagea au reste de la France puis de l'Europe. Aucune mesure globale ne fut nécessaire pour qu'une action globale se développe.

Dans les années 1950, la propagation s'effectuait grâce à des associations structurées comme la jeune chambre. Aujourd'hui, la structure c'est internet, le réseau que nous traçons en nous interconnectant.

La transparence, condition de la vitalité

— Comme le maire attaque systématiquement tous ceux qui le critiquent, nous avons essayé de préserver notre anonymat, dit l'agent 003. Ce n'est jamais agréable de voir son nom en grosses lettres dans le journal municipal affirmant que vous avez été inculpé pour diffamation alors que le jugement n'a pas été rendu.

Dans les faits, si certains membres d'*asnierois.org* restent anonymes, d'autres comme Philippe Vassé, l'auteur des chroniques, sont devenus des figures publiques. L'anonymat peut s'avérer efficace dans un premier temps mais il n'a plus d'utilité lorsque la notoriété augmente.

— À nos débuts, en 2004, Christophe Grébert de *monputeaux.com* nous a sauvé la vie, explique l'agent 001. La blogosphère a été solidaire, le maire a compris que nous n'étions pas seuls.

— Malgré l'anonymat, nous ne nous sommes jamais cachés, dit l'agent 002. Agir aux yeux de tous, ça fait partie de l'éducation des gens, ça les interpelle, ils nous interrogent, nous leur expliquons, ils commencent à se poser des questions. Quand ils voient la vigueur de la réaction, ils se demandent ce qui se passe dans leur commune.

Les animateurs d'*asnierois.org* ont compris que pour qu'une action locale soit efficace et se propage, elle doit être reproductible. Pour cela, il faut jouer la carte de la transparence.

— Google est notre meilleur ami, dit l'agent 002. Nous sommes dans un cercle vertueux. Tout ce qui est dit est publié sur le site, tout le monde peut y accéder, il n'y a pas de secret. Nous offrons tant à voir qu'un espion qui nous surveillerait n'apprendrait rien de plus que ce que nous avons publié.

Grâce à ces informations distribuées librement, dans un pur esprit de partage, une multitude d'initiatives locales peuvent se rencontrer, se renforcer et se féconder. Cette méthode Open Source fait de plus en plus d'émules hors du domaine de l'informatique.

Des agriculteurs s'organisent en réseau et partagent leurs ressources[26]. Pour préserver la biodiversité, des associations comme Kokopelli[27] en France ou Navdanya[28] en Inde s'échangent des semences anciennes. Plutôt que de stocker les graines dans des banques frigorifiques, elles invitent les agriculteurs à les cultiver.

De proche en proche, une véritable économie parallèle se constitue. Avec des sites comme eBay, les citoyens échangent des produits en faisant fi des barrières géographiques. Un service de paiement électronique comme PayPal est vite devenu une sorte de banque virtuelle dont aucun État ne contrôle encore les flux monétaires.

Toujours dans le domaine financier, des plates-formes de crédit mutuel apparaissent : *prosper.com* aux États-Unis, *zopa.com* en Grande-Bretagne. Elles mettent en relation directe les citoyens qui ont de l'argent avec ceux qui en manquent. Les taux de prêt se négocient aux enchères. Le but est de créer des réseaux d'acteurs qui gagneront à travailler ensemble.

Les activistes d'*asnierois.org* participent à ce mouvement de partage. En compliquant le travail des afficheurs officiels, en épluchant la comptabilité municipale, en assistant aux réunions du conseil municipal, ils ont gagné la reconnaissance de tous les Asniérois.

Dans plusieurs communes, des blogueurs ont décidé de se positionner comme véritables bureaux de vigilance. Certains n'affichent pas de couleur politique comme à Asnières, d'autres l'annoncent comme Jérôme Charré à Aulnay-sous-Bois[29] ou Christophe Grébert à Puteaux[30]. Tous amènent le cinquième pouvoir sur le terrain. Né sur internet, il prend son sens dans la réalité la plus ordinaire.

Pour devenir un cyber-citoyen, il n'est pas nécessaire d'être blogueur. On prend goût à la vigilance sur le web, mais cette vigilance se joue avant tout dans la vie. Ce n'est pas une question de compétence technique mais d'engagement. Le cinquième pouvoir ne fait plus la révolution avec des barricades. C'est un pouvoir d'interpellation. Comme le prédisait Alain[31], la démocratie devient un effort perpétuel des gouvernés contre les abus du pouvoir. Nous en revenons à l'idéal républicain : le gouvernement du peuple, par le peuple, pour le peuple.

LA RÉPUBLIQUE DES BLOGS

Les grandes manœuvres électorales

C'est une expérience éternelle que tout homme qui a du pouvoir est porté à en abuser; il va jusqu'à ce qu'il trouve des limites. Qui le dirait! La vertu même a besoin de limites. Pour qu'on ne puisse abuser du pouvoir, il faut que, par la disposition des choses, le pouvoir arrête le pouvoir.

Montesquieu [1]

Les nouvelles technologies influencent la politique. Plus personne ne peut le nier. À côté des aventures d'Howard Dean, d'Étienne Chouard et de Roh Moo-hyun, j'aurais pu développer d'autres exemples tout aussi frappants.

En 2001, les Philippins précipitèrent la chute du président Joseph Estrada à force de le dénigrer via des SMS.

En 2004, après les attentats de Madrid, les Espagnols organisèrent, par SMS et par mail, des manifestations monstres pour dénoncer la tentative de diabolisation de l'ETA par le Parti populaire de José María Aznar. Quelques jours plus tard, Aznar perdait les élections.

En 2006, la mobilisation des Thaïlandais par SMS poussa le roi Bhumibol Adulyadej à destituer le Premier ministre, Thaksin Shinawatra.

Mettez entre les mains des citoyens une technologie facile d'emploi, ils en font une arme politique[2]. Après l'invention de l'imprimerie, un grand nombre de personnes apprirent à lire et découvrirent la Bible, ce qui entraîna la Réforme. Un lien causal existe entre ces événements, et nous n'en mesurerons jamais précisément le poids. Ainsi, des élections ont-elles été gagnées et d'autres perdues sur internet ? Personne ne pourra jamais l'affirmer, mais il est sûr que le cinquième pouvoir influence la vie démocratique. Je ne prétends pas avoir prouvé autre chose dans les pages précédentes.

Dix ans auparavant, en 1996, à l'époque où internet s'ouvrait au grand public, personne – à part quelques cyberpunks excentriques – ne pensait que les internautes contribueraient à l'émergence d'un nouveau pouvoir. Aujourd'hui, il est en train de se constituer. En même temps, nos personnalités politiques ouvrent des blogs et ne conçoivent plus leur action indépendamment d'internet. Les choses changent plus vite que nous ne le pensons.

Dans la peau d'un détective

Un jour, au printemps 2001, j'étais dans une grande surface spécialisée en informatique pour acheter un baladeur MP3 à ma future femme. Comme elle voyageait beaucoup, je voulais un appareil qui tienne dans la poche et qui puisse contenir des milliers de chansons tout en disposant de plusieurs heures d'autonomie. Le vendeur m'affirma qu'un tel gadget n'existerait pas avant des années. Je prophétisai qu'il en vendrait un avant les fêtes de Noël. Apple sortit l'iPod en novembre. Dans le monde des nouvelles technologies, ce qui paraît impossible devient souvent une banalité quelques mois plus tard.

Depuis l'invention du web par Tim Berners-Lee au début des années 1990, les changements ne font que s'accélérer. La révolution d'abord technologique est devenue politique. Aujourd'hui, internet transforme tous ceux qui l'approchent, les citoyens comme les personnalités politiques. Il change la politique, la façon d'en faire mais aussi son objet : les idées politiques.

J'ai alors eu envie de savoir ce que les politiciens français pensaient de ce phénomène. Ont-ils conscience de l'existence d'un cinquième pouvoir ? Ont-ils retenu la leçon d'Howard Dean ? Quelles sont leurs stratégies internet ? Pensent-ils qu'internet transforme la nature de la démocratie ?

Plutôt que d'éplucher leurs déclarations à la recherche de réponses, je pris contact avec quelques-uns d'entre eux, en envoyant un simple mail à l'adresse indiquée sur leur site. Certains, comme François Bayrou, me répondirent instantanément, d'autres m'ignorèrent. Je ne fis aucun forcing, me disant que ceux qui ne jouaient pas le jeu de l'interactivité n'appartenaient pas encore au nouveau monde qui se construit en ce moment même.

Je débutai tout naturellement mon enquête en interrogeant le premier politicien français blogueur, Alain Rousset, président socialiste de la région Aquitaine. Il ouvrit son blog en novembre 2003 en prévision des élections régionales de 2004 et le ferma après sa réélection, en avril 2004. Je voulus savoir comment lui vint l'idée de bloguer.

— Deux ou trois personnes ont dû me parler des blogs à la même période, comme ça, en passant, m'expliqua Alain Rousset. Je me suis alors dit que ce serait un outil qui me forcerait à prendre du recul de temps en temps, que ce serait aussi un canal de dialogue avec les Aquitains, différent de celui des meetings, des courriers, de la presse, des réseaux du PS. Une modeste tentative pour essayer de faire un peu de politique autrement. Comme référence, à l'époque, j'avais entendu parler du rôle que les blogs semblaient jouer dans la campagne électorale américaine. Mais en fait, je disposais de peu d'informations fiables. Mes impressions évoluaient entre narcissisme amplifié et nouvelle voie démocratique.

En 2003, Alain Rousset n'imaginait pas que les blogueurs feraient la une des médias trois ans plus tard. Aujourd'hui, il se demande si tout cela n'est pas une mode. Ce doute témoigne d'une attitude quasi protectionniste qui n'est pas propre à Alain Rousset. Pour nos personnalités politiques, les blogs sont devenus des outils incontournables : ils servent à dialoguer avec les électeurs et les médias. Mais ils dérangent car, outil démocratique par excellence, ils permettent aux blogueurs de mettre leur nez dans les affaires publiques.

Les réticences d'Alain Rousset vis-à-vis du cinquième pouvoir ne l'empêchèrent pourtant pas de jouer le jeu.

— Au départ, disons-le franchement, je pensais que ce n'était pas si mal de dire mes impressions, mes réactions privées, de parler seul dans la nuit au retour d'une virée électorale ; j'avais le sentiment de redevenir quelqu'un de plus normal, qui ne serait plus enfermé dans l'urgence, dans l'apparence, dans le discours répété, ce à quoi nous contraint le rythme d'une campagne électorale. Et je l'avoue, j'ai pensé que cette couleur personnelle, pas insincère, au contraire, vraiment avouée, que je pouvais ainsi donner de moi me permettrait de rencontrer quelques électeurs autrement jamais identifiés. J'espérais être ainsi, pour eux, plus convaincant. Il n'y avait d'ailleurs pas d'hypocrisie dans mon intention, le blog s'est appelé *Blog de campagne*. Avec certes une ambiguïté sur le sens du terme campagne car, si je m'en souviens bien, j'ai beaucoup parlé des paysages de l'Aquitaine, traversée en tous sens pendant la période.

Alain Rousset devint un vrai blogueur, bien plus que la plupart de ses successeurs, qui font écrire leurs billets par leurs sbires. Une fois populaire, le blog d'Alain Rousset changea de nature.

— Il est devenu plus collectif car les commentaires des internautes comptaient autant que ce que j'écrivais. Je me souviens particulièrement d'un dialogue régulier avec Rosebud. J'ai cru savoir – et encore sans aucune certitude – que cette personne était une femme vivant en Dordogne. En tout cas, Rosebud a été tout au long du blog d'une exigence splendide envers moi, mettant en cause ma bonne foi et me reprochant pour finir d'arrêter le blog à la fin de la campagne.

Cette expérience d'internaute marqua Alain Rousset plus qu'il ne veut le reconnaître. Une fois réélu, il ouvrit un programme de démocratie participative en région Aquitaine[3].

— Ce n'est pas du discours : nous avons ainsi instruit le schéma régional d'aménagement et de développement du territoire de façon très interactive, nous venons de clore une consultation sur la gestion de l'eau organisée sur le net. Mais je ne sais pas si je convaincs Rosebud avec de telles pratiques. Je n'ai pourtant pas l'énergie et le temps d'entretenir un colloque singulier avec chaque Aquitain. Hélas ?

J'évoquai le cinquième pouvoir. Alors, réalité ou fiction ?

— Je ne peux que constater qu'il est aujourd'hui pour le moins autoproclamé, mais je ne lui en fais pas *a priori* grief. Si je connais assez bien les limites et les risques que court l'équilibre de nos trois premiers pouvoirs, je voudrais bien, en priorité, que nous arrivions à donner au quatrième, celui de l'information, à la fois sa juste place, forcément indépendante, et son éthique, largement à travailler. J'ajouterais enfin volontiers qu'il vous appartient de démontrer l'utilité culturelle, économique et sociale de ce supposé cinquième pouvoir, et ce n'est pas l'onction technologique qui nous offrira la moindre garantie là-dessus.

Je suis d'accord avec Alain Rousset. J'ai essayé jusqu'ici de démontrer que le cinquième pouvoir avait une influence politique, je consacrerai la seconde partie du livre à démontrer qu'il influence la culture, l'économie et même le social. Mais jamais je ne démontrerai qu'il est utile.

Les monarchistes ne se sont pas interrogés sur l'utilité de la démocratie. Elle est advenue, c'est tout. Le cinquième pouvoir n'est *a priori* pas utile puisque la société vécut sans lui pendant des siècles mais il a un rôle à jouer, en portant de nouvelles valeurs jusqu'alors négligées. En fait, le cinquième pouvoir apparaît parce que le monde change. Il est une conséquence de ce changement, notamment de la complexification de nos sociétés et de leur organisation en réseaux de plus en plus resserrés.

— Le fonctionnement en réseaux est certes facilité par la technique, mais les réseaux comme structuration hiérarchique ne sont pas des fins en soi, affirme Alain Rousset. Chaque moment de la vie personnelle ou sociale suppose une réponse spécifique, où les modes organisationnels de réflexion et d'action doivent s'adapter au mieux plutôt que s'imposer *a priori*. Cela dit, un peu plus de réseau ne fait sans doute aucun mal aujourd'hui ; mais déboulonnera-t-on pour autant les idoles nocives du vieux monde ?

Je suis sûr que oui. Les réseaux cassent les hiérarchies, aplatissent les structures sociales, les complexifient, désarment les lobbies et les apparatchiks. Pour faire de la politique, pour influencer la société, il devient difficile d'ignorer les réseaux. Alain Rousset m'a d'ailleurs confié qu'il bloguerait à nouveau s'il se représentait. Au fond de lui, il a, je crois, senti le côté profondément démocratique du réseau, même s'il met en garde contre les dérives potentielles.

—J'essaierai à nouveau un dialogue électronique avec les citoyens de mon territoire. Mais plutôt que de partir dans une fuite en avant lors d'un dialogue tous azimuts, je chercherai à proposer des axes de réflexion à partager, comme le statut et le rôle de l'élu, la décentralisation... Tous ces échanges, réels ou virtuels, doivent garder cet objectif qui est de produire du sens, pour ne jamais se cantonner à la recherche d'une jouissance ou à la fabrique d'un bruit de fond nous rassurant peut-être sur notre existence mais ne la magnifiant en rien.

J'espère qu'Alain Rousset sera entendu. Quand je lui demandai si son expérience de blogueur l'avait transformé, il me répondit :

—Ce qui a changé en moi, c'est ma réflexion même sur le rôle et les limites des outils médiatiques et des nouvelles technologies dans l'évolution du débat démocratique. Je me suis interrogé sur ma propre pratique numérique, pourtant bien modeste, plutôt qu'elle ne m'a interrogé sur mes idées et mes méthodes. Et je ne vous cacherai pas que je suis inquiet : les médias de masse sont en passe d'être rejoints par le buzz internet. Et cela n'est qu'un exemple des questions qu'il faut nous poser, tout autant que de l'espoir qui doit continuer à nous motiver.

Alain Rousset est sage, mais il faut parfois dépasser la sagesse pour aller de l'avant. J'écris parce que, justement, ma pratique numérique m'a fait m'interroger sur la nature de nos gouvernements et de nos structures sociales. L'usage des nouvelles technologies nous questionne sur l'organisation même de notre monde.

L'informatique conduit-elle à l'écologie ?

Si Alain Rousset fut notre premier politicien blogueur, Alain Lipietz, le député européen vert, également chercheur en socio-économie, le devança sur le web[4]. Les 22 et 23 septembre 2006, je discutai avec lui au téléphone. Il commença par me raconter l'histoire de son site ouvert en 1996.

— Je suis un chercheur engagé, mon site était déjà politique. À côté de mes articles parus dans la presse, je publiais des petites notes où je donnais mon avis sur la vie politique. Progressivement, je me suis mis à bloguer sans le savoir. Mes lecteurs m'envoyaient leurs remarques et leurs questions par mail. Peu à peu, un dialogue s'est établi.

Je demandai à Lipietz si, dès cette époque, il sentait que quelque chose était en train de se passer. En riant, il me répondit :

— Oui, tout de suite j'ai commencé à me faire engueuler. J'ai vite compris la règle numéro un de l'interactivité : répondent en priorité les insatisfaits. Heureusement, il y a des gens sympas qui envoient des messages d'encouragement. Ça réchauffe le cœur, mais ils sont minoritaires. En général, les gens sont plus loquaces quand je les croise dans la rue. Ils me disent parfois qu'ils ont lu mon blog, qu'ils trouvent ça bien... mais ils ne postent pas un commentaire pour le dire.

En 1999, après son élection comme député européen, Alain Lipietz se retrouva avec un site à tiroirs : l'un contenait ses travaux de chercheur, un autre ses textes de militant, un autre ses rapports parlementaires, un autre encore devint une sorte de journal où il commentait l'actualité parlementaire. C'est lors de sa deuxième campagne électorale européenne, début 2004, qu'il créa son blog, sous l'impulsion de Natacha Quester-Séméon des Humains associés[5].

— « Alain, tu n'es plus dans le coup, me dit-elle. Il te faut un blog. » Elle m'a expliqué ce que c'était. Quand elle m'a dit que les gens pouvaient réagir en affichant leurs réponses, j'ai été surpris mais je m'y suis fait. Très vite, c'est devenu épuisant mais j'ai pris goût à l'exercice.

Après sa réélection, Alain Lipietz continua son blog mais il comprit qu'il ne pouvait pas se contenter de courts billets. Certaines de ses idées nécessitant plusieurs pages d'explication, il décida d'espacer ses publications et de prendre le temps de développer sa pensée.

— Mon blog est devenu plus un hebdomadaire qu'un quotidien. Je n'ai personne pour écrire mes billets à ma place. Je suis ma propre république des idées, ce n'est pas comme Ségolène Royal, qui a une armée de rédacteurs. En général, j'écris mes textes sur mon mobile, mon assistante les remet en forme puis nous les publions. J'ai aussi décidé de modérer les commentaires car je suis responsable de tout ce qui apparaît. Si des choses me déplaisent – et des horreurs ont parfois été postées –, je dois réagir immédiatement. Comme je n'ai pas toujours le temps, je préfère me donner la possibilité de censurer certains propos. Dans la pratique, je valide tout. Quand les messages me choquent, j'envoie un mail à leur auteur. Il m'est arrivé d'engueuler des gens et ils n'ont pas recommencé. J'ai de la chance.

En même temps qu'il me racontait l'histoire de son site, il faisait preuve une certaine familiarité avec la technologie.

— Normal, 30 % des Verts étaient, à l'origine, des informaticiens et des scientifiques.

Nous n'avons pas creusé le sujet mais, après coup, j'ai repensé à sa remarque : les informaticiens ont été attirés très tôt par l'écologie car leur univers de pensée, la collaboration Open Source notamment, les a poussés à respecter le travail des autres, respect qui s'est étendu à l'ensemble de la biosphère – également sous l'influence de la littérature de science-fiction, dont les informaticiens sont friands. Mais les changements ne vont pas toujours dans le bon sens, prévient Lipietz.

— Sur mon blog, 97 % des commentaires sont rédigés par des hommes. Les femmes préfèrent m'envoyer des mails. Elles ne cherchent pas à s'afficher. Nous sommes face à la division traditionnelle des sexes. Les femmes me disent qu'elles n'ont pas compris et me demandent des explications. Les hommes prétendent qu'ils ont tout compris et qu'ils vont tout expliquer. C'est une caricature de la société phallocrate. Internet n'y est pour rien, c'est quelque chose de plus profond auquel je ne peux pas grand-chose sinon offrir aux gens qui le veulent de me répondre personnellement.

J'ai constaté le même déséquilibre sur mon blog, la préférence des femmes pour le mail. Je demandai alors à Lipietz s'il pensait que sur internet circulaient avant tout des idées d'hommes.

— Oui, le ton péremptoire adopté sur internet traduit l'hégémonie écrasante des hommes.

Je pense toutefois que ce déséquilibre est propre à notre sujet de prédilection : la politique. En étudiant l'ensemble de la blogosphère, l'équipe de Pew/Internet a découvert que la parité homme-femme était respectée, simplement les femmes ne bloguent pas sur les mêmes sujets que les hommes [6]. Mais pour faire de la politique, il ne suffit pas d'en parler, au contraire. L'action est primordiale, en ce sens les blogueuses non étiquetées « politique » appartiennent aussi au cinquième pouvoir. Comme toujours, il ne faut pas se focaliser sur ce qui se voit mais sur la partie immergée de l'iceberg, dont la blogosphère n'est d'ailleurs que le sommet.

Lipietz me vanta la qualité des échanges sur son blog. Il m'expliqua comment des discussions l'amenèrent à infléchir certaines de ses positions et lui apportèrent de nouveaux éclairages et de nouvelles idées. Pour lui, internet nous permet de dialoguer à nouveau, d'arrêter le monologue télévisuel.

— Si toutes les personnalités politiques s'exprimaient par écrit avec facilité, le blog serait l'outil idéal de la politique. Il nous permet de dire en temps réel ce que nous faisons et de nous faire engueuler dans le même temps. Quand les reproches sont argumentés, on en revient à la *disputation* au sens médiéval du terme. Parfois j'expose une thèse, des contradicteurs répondent, d'autres contre-argumentent, nous assistons à un véritable débat. Quand on en arrive là, c'est magnifique...

Stratégies des mammouths

Après les premiers pas des politiciens sur le web en 2003 et 2004, les partis prirent la relève. Depuis le début 2006, c'est le branle-bas de combat à droite comme à gauche. Toutes les stratégies marketing sont bonnes pour recruter de nouveaux sympathisants.

— Nous pensons qu'aujourd'hui les blogs font partie de la constitution de l'opinion publique, écrivit Vincent Feltesse, maire de Blanquefort, en Gironde, et secrétaire national aux nouvelles technologies pour le PS[7]. Nous ne sommes pas encore aux États-Unis où le parti démocrate a décidé récemment de privilégier les blogueurs influents par rapport aux journalistes traditionnels, mais quand même.

Vincent Feltesse publia ce message le 31 mai, dernier jour de l'inscription des nouveaux militants du PS en préparation des primaires de novembre 2006. Trois mois plus tard, ce discours modéré était déjà oublié. Tous les partis invitaient les blogueurs « starifiés » à leur université d'été. Les grandes manœuvres de séduction de la blogosphère avaient débuté.

Pour savoir ce qui se tramait dans les coulisses, je rencontrai les stratèges internet de nos grands partis. Je commençai par discuter avec Éric Walter, le responsable internet de l'UMP. Je fus surpris d'avoir rendez-vous place Beauvau, au ministère de l'Intérieur. Walter y travaille, payé en partie par le gouvernement, en partie par l'UMP. Cet amalgame me parut tortueux, mais j'essayai de dissiper mes doutes.

Walter est un quadragénaire aux cheveux grisonnants, au visage sec et souriant. Je sentis tout de suite qu'il était compétent et réfléchi, une sorte de joueur d'échecs, un tacticien qui avance ses pièces en bon ordre. Il professe une stratégie très simple : il faut occuper le terrain.

Il invite les blogueurs aux meetings UMP, il leur communique les mêmes informations qu'à la presse. Il assimile en fait le cinquième pouvoir au quatrième pouvoir. Les autres partis adoptent la même stratégie. C'est une constante : on cherche à faire ami-ami avec les blogueurs, comme pour tenter de les amadouer.

Je ne suis pas sûr que cette tactique fonctionne longtemps. Elle flatte ceux à qui l'on fait des fleurs mais énerve ceux qui n'en bénéficient pas – et ils seront toujours beaucoup plus nombreux. Les méthodes efficaces avec les journalistes, toujours en nombre réduit, toujours identifiés, ne peuvent s'appliquer à une blogosphère en métamorphose constante et qui comprend des milliers, voire des dizaines de milliers de personnes influentes.

On ne peut pas flatter tout un réseau non hiérarchisé, seulement quelques-unes des personnes qui le composent. Du coup, la flatterie, la relation intimiste me paraissent inefficaces et même risquées. Elles vont contre la logique du réseau. Par essence décentralisé, il s'accommode mal d'une communication élitiste pouvant être interprétée comme une tentative de prise de contrôle.

La presse a souvent succombé. Le cinquième pouvoir doit se tenir sur ses gardes et résister aux sirènes du pouvoir traditionnel.

La grande armada

Le 18 octobre, trois semaines après ma rencontre avec Éric Walter, je déjeunai avec Thierry Solère[8], maire-adjoint de Boulogne-Billancourt et conseiller général des Hauts-de-Seine. Il est le patron de Walter à l'UMP ; blogueur enthousiaste, il est convaincu qu'internet est devenu une arme politique. Il ne mâche pas ses mots :

— Nous ne donnons pas dans le participatif. Nicolas Sarkozy a ses idées, il entend les faire passer.

Tout est dit. L'UMP dispose d'un programme, les militants se battront pour l'imposer, sans rechercher un consensus mollasson. Les blogs UMP – dont Walter favorise la création en offrant des comptes sur la plate-forme *typepad.fr* – ont pour vocation de porter la bonne parole et d'en débattre. Ils ne vont pas écrire le programme de Nicolas Sarkozy.

Nous sommes loin de la stratégie d'Howard Dean, même si Thierry Solère m'a avoué que l'un des conseillers de Dean s'était joint à leur équipe. Je n'ai pas réussi à obtenir son nom mais je doute qu'il s'agisse de Joe Trippi. Tout ce que j'entendais était trop loin de sa philosophie.

Autant Walter est modéré, autant Solère est un guerrier. S'appuyant sur un des plus gros budgets politiques de France, il veut bombarder non-stop les blogueurs et les internautes de vidéos et de mailings, le tout avec une approche télévisuelle.

Cette stratégie fonctionne quand on est en position de force. C'est la stratégie TF1. Solère le reconnaît. Il veut que le site de l'UMP devienne le plus important site politique français. Pour augmenter le trafic, en plus d'acheter de la publicité, il compte sur les blogueurs du réseau UMP, qui ont pour devoir de pointer vers le site parent.

Il s'agit en fait de détourner la force du cinquième pouvoir et de la canaliser vers un point de focalisation d'où sera diffusé le discours officiel. C'est simple et efficace car les moteurs de recherche, Google en tête, ont introduit un système pervers : plus un site est lié par d'autres sites, mieux il apparaît classé dans les pages de résultats. Comme souvent 75 % du trafic d'un site provient des moteurs, les sites les plus liés sont les plus visités, donc les plus populaires.

Tous les webmasters connaissent cette loi. Ils passent leur temps à échanger des liens avec d'autres webmasters dans le seul but d'améliorer le classement de leurs sites. La méthode est si lucrative que certains fabriquent des sites fantômes afin de créer des liens fictifs que les moteurs ne sauront pas différencier de liens réels. Cette pratique s'apparente au spamming. L'UMP est en train de l'encourager.

Mais quel est l'intérêt ? À quoi bon augmenter le trafic du site de l'UMP ? Le parti n'a rien à vendre. Si vous vendez des produits sur internet, vous voulez que les clients potentiels les voient et les achètent. Et où les acheter[9], sinon dans la boutique ? Vous cherchez donc à maximiser le nombre de gens qui la visitent. C'est différent en politique. Les citoyens ne vont pas voter sur le site de l'UMP ni devant leur téléviseur d'ailleurs, mais dans des dizaines de milliers d'isoloirs.

Le vote est un acte décentralisé. Donc pour convaincre les citoyens, l'approche décentralisée est sans doute la plus efficace, comme l'ont démontré la campagne d'Howard Dean et, surtout, la campagne démocrate de 2006. Il est souvent préférable de faire confiance aux militants : ils vendent mieux les idées politiques que les politiciens car ils font du sur-mesure. Leur audience étant réduite, ils adaptent leur discours, ils ciblent mieux.

Mais l'UMP n'aime pas l'idée de moins contrôler. C'est contre sa philosophie. Malheureusement, pour profiter d'internet, il faut relâcher, faire confiance aux citoyens. L'UMP n'y est pas préparée. La logique intime d'internet n'est pas codée dans son ADN ; elle ne l'est pas non plus dans celui du parti républicain américain.

Thierry Solère me demanda ce que je pensais de sa stratégie :

— Vous allez gagner... si personne ne réussit à soulever le réseau contre vous.

Quand Saddam Hussein opposa ses troupes à l'armée américaine, il n'avait aucune chance, le combat frontal était une erreur monumentale. La force la plus importante, la plus riche, possède presque toujours un avantage décisif. En revanche, quand Al-Qaïda opposa un réseau à la même armée américaine, la victoire ne fut jamais proclamée : une approche centralisée ne peut rien contre une approche en réseau.

Thierry Solère en est conscient, mais l'UMP ne veut pas perdre. Le parti tente de mettre en place une méthode rigoureuse censée marcher à tous les coups. Néanmoins, dans notre monde hypercomplexe, la maîtrise des choses est souvent illusoire, et celle d'internet à coup sûr utopique [10].

La guérilla informationnelle

L'UMP ne changera pas de cap en cours de route. Passer du management hiérarchique au modèle participatif implique une vision du monde par certains aspects opposée au dirigisme peu libéral qu'affiche parfois Nicolas Sarkozy.

Paradoxalement, c'est à gauche, au PS, que Ségolène Royal a mis l'idée de participation à la mode, tout en affirmant que sa campagne présidentielle se ferait à 50 % sur internet. Début décembre 2006, Vincent Feltesse, m'expliqua qu'il n'y avait aucun paradoxe :

— Dès les années 1960, le maire socialiste de Grenoble, Hubert Dubedout, a mis en place des groupes d'action municipale, c'était de la participation au niveau local. Depuis, c'est monté en puissance pour apparaître au grand jour à la fin des années 1990. Lors des municipales de 2001, la plupart des candidats socialistes ont joué la carte de la démocratie participative. Une des dernières lois adoptée par le PS, la loi démocratie de proximité, instaurait d'ailleurs des conseils de quartier. Ségolène Royal a toujours été sensible à cette approche. Lors de la campagne des régionales de 2004, elle a insisté sur la participation. Partie très tôt en campagne, un an avant les élections, elle a sillonné sa région et participé à des dizaines de forums pour mesurer les attentes des citoyens. De nombreux autres socialistes comme Alain Rousset ont adopté la même approche.

Je lui fis remarquer que Dominique Strauss-Kahn ne partageait pas du tout cette vision.

— Ségolène est une élue locale plutôt qu'une femme d'appareil. Elle s'est frottée à la réalité du terrain. Une fois élue à la tête de la région Poitou-Charentes, elle s'est donné les moyens d'écouter les citoyens. Son discours était : «Maintenant que nous sommes au pouvoir, comment affiner notre politique ?» Une de ses collaboratrices est immédiatement partie à São Paulo pour se familiariser avec la démocratie participative déjà en œuvre au Brésil, notamment pour la discussion des budgets. Ségolène a traduit cela dans les lycées de Poitou-Charentes en demandant aux élèves de participer à la définition des budgets de leur établissement. Ségolène s'est approprié le mouvement participatif et l'a surmultiplié.

J'évoquai alors sa stratégie internet.

— C'est une suite logique. Grâce au site Désirs d'avenir mis en ligne en février 2006 [11], des centaines de comités locaux Désirs d'avenir se sont ouverts en quelques mois. Sans internet, rien n'aurait été possible, surtout pour un outsider qui, comme Ségolène, avait peu d'appuis au départ.

Je ne pus m'empêcher de dire que cette aventure faisait penser à celle d'Howard Dean.

— Sauf que Ségolène a gagné les primaires, me dit Vincent Feltesse en riant. Mais c'est comparable. Sans internet, Ségolène n'aurait jamais pu être candidate aux primaires socialistes, elle n'aurait jamais pu se présenter à la présidentielle.

En novembre 2006, lors de ces primaires, le parti comptait 220 000 militants en droit de voter : 80 000 furent recrutés sur internet au cours des mois précédents. Pour la plupart, ils votèrent Ségolène Royal.

— C'est une occasion fantastique de renouveler le paysage politique, me dit Vincent Feltesse. Nous allons construire le programme ensemble et le soumettre aux Français. Ségolène Royal présente un nouveau visage de la politique. Elle continuera à dire qu'elle ne sait pas quand elle n'aura pas de réponse toute prête. C'est à nous tous de trouver les réponses.

Je lui parlai ensuite de la création d'une équipe de campagne numérique. Le 1ᵉʳ décembre 2006, dans un mail adressé aux militants, Vincent Feltesse écrivit :

— Aujourd'hui, les campagnes ne se font plus seulement sur les estrades mais aussi sur internet. Les affiches ne se collent plus seulement sur les panneaux mais aussi sur les sites web. Les discussions ne se mènent plus seulement dans les cafés mais aussi sur les blogs et forums.

En quatre jours, plus de 10 000 militants se portèrent volontaires pour arpenter internet au nom du PS. Ils reçurent un mail dans lequel on leur disait :

— Nous t'interrogerons sur ton profil plus précisément pour te faire participer au mieux, puis nous commencerons à te confier des missions.

Je trouve le ton plutôt drôle, mais je ne crois pas que c'était le but recherché. Sans savoir que le message venait du PS, j'aurais pensé à un canular ou à une opération de recrutement menée par une secte d'illuminés. J'imagine que les fanatiques disent un peu la même chose à leurs soldats. Ça sonne un peu boy-scout.

— Un point important. Il est relatif à notre démarche et à notre philosophie. Internet est bien sûr un nouveau moyen de faire des campagnes mais c'est, aussi, une manière de renouveler nos pratiques politiques. Il permet un meilleur débat. Notre campagne en ligne veut être décentralisée, participative et éthique. Nous nous refusons ainsi à certaines pratiques ultracommerciales, à utiliser les vides d'un espace pas encore encadré par la loi et surtout à instrumentaliser ce formidable espace de liberté, de dialogue et d'intelligence collective qu'est le net.

Vincent Feltesse m'en dit un peu plus :

— Nous considérons internet comme un espace de liberté et non comme un Far West où tout est permis et où règne la loi du plus fort, c'est-à-dire souvent du plus riche. Nous essayons d'avoir une démarche cohérente avec nos valeurs.

J'approuve cette démarche et, en même temps, je suis un peu inquiet. J'imagine déjà les missions des cybermilitants : scruter les blogs non alignés politiquement et chercher à y recruter les électeurs indécis. Je les imagine publier commentaire sur commentaire sur Agoravox. Je les imagine ouvrir des blogs à seule fin de créer de la présence sur les moteurs de recherche. Je les imagine lancer des campagnes de dénigrement de leurs adversaires comme le firent les démocrates aux États-Unis[12]. Nous n'éviterons pas la guérilla informationnelle.

Stratégie gagnant-gagnant

Qui saura bénéficier au mieux d'internet ? Personne ne peut le savoir ni influer réellement sur ce qui se produira. L'assurance affichée par certains de nos gourous politiques me fait souvent sourire. Ils viennent sur le web parce qu'ils ont compris qu'il s'y passait des choses. Ils savent pour Howard Dean, ils savent pour le référendum européen, mais ils n'ont pas nécessairement compris la logique des réseaux. Ils jouent presque toujours la carte de la quantité, pas celle de la qualité. Or sur le web, la qualité prime. On peut y être petit et y exister grandement. Les grands partis n'y ont pas beaucoup d'atouts.

Il y a, dans la structure d'un parti, quelque chose de profondément étranger à la structure en réseau propre à internet. Quand l'UMP veut que les blogs des militants pointent vers le site parent, c'est pour créer en quelque sorte un ordre hiérarchique et imposer un centre.

Les membres d'un parti ne peuvent s'empêcher de penser « organisation pyramidale ». Ils croient au pouvoir des chefs, ils croient en leurs idées, ils doutent de la capacité des citoyens à prendre leur destin en main. Sinon, ils n'auraient plus aucune raison de militer dans un parti.

Pendant ce temps, des structures plus souples et plus dynamiques se mettent en place. Internet n'est pas un média, c'est un territoire, avec son organisation communautaire et sa philosophie.

De jeunes politiciens commencent à le comprendre. Je pense à Édouard Fillias [13], président d'Alternative libérale, mais surtout à Rachid Nekkaz[14], qui a décidé de faire campagne sans créer de parti, en espérant qu'un réseau de soutien se constituera autour de lui sans qu'il ait besoin de le structurer.

Mais les jeunes n'ont pas le privilège de l'audace. Un politicien d'expérience me surprit : François Bayrou, patron de l'UDF et candidat à l'Élysée. Je le rencontrai le 27 septembre 2006. Il me reçut dans son QG rue de l'Université. Je notai avec amusement qu'en face se trouvaient les bureaux de la filiale internet de Microsoft. Était-ce un signe ? D'un côté l'UDF, un parti traditionnel, de l'autre Microsoft, une entreprise tout aussi traditionnelle par sa structure, mais qui distribue pourtant quelques-uns des outils clés du cinquième pouvoir.

Le rapprochement était-il juste géographique ?

Bayrou me fit vite comprendre que non.

— Je considère que les logiciels Open Source et les wikis sont deux choses fantastiques pour l'humanité, me dit-il.

Je fus surpris d'entendre ces idées exprimées par François Bayrou, mais aussi de découvrir que l'UDF était un parti à l'écoute d'un blogueur comme moi. Sa stratégie internet est d'ailleurs simple : pas de stratégie. Quand on manque de moyens, on n'a pas d'autre possibilité que de faire confiance aux militants. Le hasard fait bien les choses. Comme l'a montré Joe Trippi avec Howard Dean, il faut décentraliser la campagne, l'ouvrir vers l'extérieur, jouer la transparence dans l'esprit Open Source.

Conscient de cette révolution, François Bayrou critiqua les grands médias, leur penchant pour le people et le spectaculaire. Pour lui, il se passe quelque chose de beaucoup plus important en ce moment : un nouveau peuple s'éveille, le peuple d'internet.

— C'est un peuple créatif et coopératif, dit-il. Tout n'est pas du domaine de l'avoir. Il y a deux sortes de biens. Les biens matériels, nous pouvons les échanger. Tu as une voiture, j'ai une voiture, nous les échangeons, nous avons toujours une voiture. Mais j'ai une chanson, tu as une chanson, nous les échangeons, nous avons deux chansons.

Je parlai alors de la théorie des jeux, du concept de gagnant-gagnant.

— Pour moi, c'est une théorie de l'être, de l'enrichissement mutuel, me dit François Bayrou. Internet est de cet ordre-là. Le coopératif, le mutuel, le collaboratif... tout ça va changer le monde. Je suis absolument pénétré de cette idée. Ça va aussi changer les campagnes électorales. Entre il y a cinq ans et maintenant, il n'y a plus rien de commun. Les acteurs des pouvoirs traditionnels ne s'en rendent pas compte parce qu'ils ne sont pas familiers avec l'outil internet.

François Bayrou parlait avec passion :

— Internet est un média éruptif. Vous vous faites engueuler comme féliciter avec une grande force. En même temps, ça remplace tous les sondages qualitatifs qui mettent des mois à être élaborés. J'ai les mots des gens, j'ai les mots de la vie. Pour moi, c'est formidable et ça bouleverse tout. Nous assistons à un changement de monde dont le monde officiel ne se rend pas compte. Une révolution est en cours.

François Bayrou parlait bien sûr d'une révolution non violente. Il laissa tout de même planer une crainte.

— Quoique... on ne sait jamais.

Je partage cette crainte. J'espère que le vieux monde ne défendra pas ses positions à tout prix, la poursuite de la croissance matérielle par exemple, au risque de précipiter les perturbations climatiques, sans quoi la rupture violente sera inévitable. Comme me le dit François Bayrou, nous n'en sommes pas là et devons essayer de trouver des solutions pacifistes.

— Avant la Révolution française, il y avait un tiers état exclu de tout mais qui finit par s'emparer du pouvoir. Nous sommes dans la même situation.

Quand je lui parlai du cinquième pouvoir, il me dit :

— On n'imagine pas combien c'est fort. Moi, je le ressens, je le vois dans les blogs, sur Agoravox, c'est réel, c'est visible. Le nouveau monde est là. J'ai l'avantage d'en être tout en connaissant l'ancien monde. Je suis sorti de la guerre des tranchées gauche-droite. Je suis capable de travailler avec des gens à gauche comme à droite. Pendant cent ans, la France a été coupée en deux par le combat entre les chrétiens et les laïques. Un jour, on s'est aperçu non pas que cela avait disparu mais que ce n'était plus la question. Aujourd'hui, c'est pareil pour le clivage gauche-droite. Il n'est plus d'actualité. Des gens de gauche, de droite et d'ailleurs rejoignent l'UDF, dans des proportions égales. Nous nous revendiquons du tiers état, d'une troisième voie. Si ce projet-là se réalise, les citoyens reprendront le pouvoir, aujourd'hui entre les mains des puissances financières et médiatiques.

Nous discutâmes aussi des stratégies internet de ses adversaires.

— Ségolène Royal dit qu'elle s'ouvre à la participation mais elle ne le fait pas. Personne ne le fait, je veux le faire. Nicolas Sarkozy cherche à tout verrouiller. Il applique à internet un marketing des années 1950. À coup de millions d'euros, il veut prendre les citoyens contre leur gré. Je ne veux pas le faire, je n'en ai pas les moyens d'ailleurs, et puis c'est le contraire du net. Aujourd'hui, le réseau lui-même dit « Ce Bayrou-là nous intéresse. » Je n'ai pour cela déployé aucune tactique. On ne matraque pas le vivant, la toile c'est du vivant, c'est trop complexe, trop aléatoire pour être contrôlé. Nous sommes dans la situation du papillon qui d'un battement d'aile déclenche une tempête à l'autre bout du monde. Je crois que le vent commence à souffler. Je ne sais pas jusqu'où il nous entraînera mais ce que nous sommes en train de faire en ce moment entrera peut-être dans les livres d'histoire. Ce que je voulais et cherchais depuis longtemps est en train de se produire. C'est passionnant.

Bayrou me parla de sa marotte pour internet.

— Je suis sur internet au moins trois heures par jour. C'est devenu ma principale source d'information sur ce que ressentent les gens. Je ne m'intéresse plus aux sondages. Ce n'est que du bourrage de crâne. On a d'un côté les forces médiatiques, de l'autre le peuple des citoyens. Eh bien, c'est le peuple des citoyens qui gagnera. Il y a adéquation entre le moment et ce que je porte. C'est un coup de chance d'en être là. Je n'ai pas créé ce mouvement.

Bayrou lui aussi – décidément c'est une manie – se mit soudain à parler comme Howard Dean. J'avoue que je ne m'y attendais pas.

— La France s'appuie sur un modèle de société plus en phase avec la logique participative d'internet – mis à part la centralisation – qu'avec l'hypercapitalisme. Nous ne nous sentons pas tous le devoir de maximiser nos bénéfices. Notre modèle prend au sérieux le mot démocratie. Il place les citoyens en position d'autonomie et de responsabilité.

J'étais en train de découvrir que Bayrou relevait du cinquième pouvoir tout aussi définitivement que moi. Sur un coup de tête, je voulus tester le pouvoir qu'a justement ce cinquième pouvoir : j'invitai Bayrou à la soirée République des blogs[15] qui se tenait le soir même au Pavillon Baltard, près de la Bourse du commerce.

— Vous rencontrerez des blogueurs de tous les partis.

Bayrou me posa deux ou trois questions, il regarda son agenda et accepta aussitôt de nous rejoindre. À ce moment, j'étais sûr que n'importe quel politicien aurait fait comme lui. Le cinquième pouvoir n'est peut-être pas réel dans l'esprit de tous les citoyens mais les politiciens savent qu'ils doivent compter avec lui. D'ailleurs, l'intérêt qu'ils lui portent le renforce. Plus il est fort, plus il intéresse : c'est une dynamique positive, un jeu gagnant-gagnant.

La politique change.

Dans le petit monde de la blogosphère, minuscule excroissance du cinquième pouvoir, nous sommes, tout comme François Bayrou, de plus en plus nombreux à sentir une force monter de chacun d'entre nous, une force irrésistible et envoûtante, une force historique à laquelle nous ne pouvons pas échapper. Personnellement, pour la première fois, j'ai l'impression de vivre dans un pays de citoyens solidaires.

Comme le dit Bill Clinton lors d'une conférence devant le parti travailliste anglais, ce qui importe c'est l'*ubuntu*[16]. Ce mot bantou signifie qu'une personne n'existe qu'à travers ses relations avec les autres. «Je suis parce que vous êtes.» Cette prise de conscience est vitale, elle est notre seule chance de nous en tirer sur cette planète.

La politique politicienne n'a pas grand-chose à dire dans ce qui nous préoccupe. Nous nous trouvons à un embranchement historique. D'un côté, comme beaucoup de mauvais augures l'annoncent, se profile un temps de catastrophes climatiques et sociales. Mais de l'autre, il y a l'espoir, un espoir nourri d'idées concrètes et déjà mises en œuvre par endroits. Nous n'avons pas le droit de nous tromper de direction ni de nous reposer, nous devons aller de l'avant, construire ensemble le cinquième pouvoir.

PARTIE 2

MÉCANISMES DU CINQUIÈME POUVOIR

La force est dans le réseau

La télévision détrônée

De l'économie à la politique

LA BATAILLE DE BORODINO

Le pouvoir des gens ordinaires

Les superautoroutes de l'information conçues pour faciliter le flux des marchandises et de l'argent commencent à voir (non sans frayeur) qu'elles sont empruntées par des vieilles charrettes, des bêtes de somme et des piétons qui n'échangent ni marchandises ni capitaux mais quelque chose de très dangereux : des expériences, des soutiens mutuels, des HISTOIRES.

Sous-commandant Marcos [1]

« On apercevait à l'horizon la ligne courbe des forêts lointaines qui encadraient le paysage ; taillées, semble-t-il, dans quelque matière précieuse d'un vert-jaune, elles étaient coupées au-delà de Valouïevo par la grande route de Smolensk encombrée de troupes, écrit Tolstoï dans *La Guerre et la Paix*. Plus près brillaient des champs dorés et des bouquets d'arbres. On voyait des troupes partout, à droite, à gauche, devant. Tout était animé, grandiose et inattendu. »

Pierre découvre le champ de bataille où flotte « un de ces brouillards qui fondent, s'écoulent et deviennent translucides à l'apparition d'un soleil éclatant, et confèrent une teinte et des contours magiques à tout ce qui transparaît à travers eux. » Nous sommes le 7 septembre 1812. Les troupes napoléoniennes marchent vers les troupes russes dirigées par le général Koutouzov. Bientôt, 70 000 hommes vont mourir pour rien. « "Pouff !" Et l'on voyait soudain surgir une fumée ronde, dense, aux reflets lilas, gris et d'un blanc laiteux, et "Boum !" entendait-on une seconde plus tard, le bruit du coup de feu. »

Après une série de guerres et de paix, c'était la dernière bataille, une bataille que personne ne voulait, une bataille que personne ne contrôla, une bataille que personne ne gagna. « Pourquoi la bataille de Borodino fut-elle engagée ? Elle n'avait pas le moindre sens ni pour les Français ni pour les Russes. » Tout au long de son chef-d'œuvre, Tolstoï étaye cette thèse. « [...] l'histoire nous montre que l'expression de la volonté de personnages historiques, dans nombre de cas, ne produit aucun résultat, c'est-à-dire que leurs ordres non seulement souvent ne sont pas exécutés, mais que parfois même il se produit exactement le contraire de ce qu'ils avaient ordonné. »

Napoléon et Koutouzov n'étaient pas causalement responsables. Dans les champs de Borodino, les hommes s'entretuèrent, préoccupés, avant tout, de sauver leur peau. À la fin de cette journée de carnage, les Russes conservaient leurs positions mais n'avaient plus la force de se battre. Le lendemain, ils se replièrent vers Moscou pendant que les Français, contournant leurs positions, se dirigeaient eux aussi vers Moscou.

Exemple après exemple, Tolstoï montre que chercher des boucs émissaires comme des héros n'a aucun sens. Même la campagne de Russie n'était pas voulue par Napoléon. Les événements historiques dépendent « de la coïncidence des volontés libres de tous ceux qui prennent part à ces événements, et l'influence des Napoléon sur leur marche n'est qu'apparente et fictive ». Ailleurs, Tolstoï écrit : « Le désir ou le refus de rengager de n'importe quel caporal français nous paraît une cause tout aussi valable que le refus de Napoléon de retirer ses troupes derrière la Vistule [...]. »

Tolstoï nous invite à changer totalement notre façon d'appréhender l'histoire. Il nous demande d'oublier les leçons enseignées par nos professeurs mais aussi les aventures racontées par nombre de romanciers avant lui. Cent ans après sa mort, en 1910, il faut le reconnaître : sa façon de voir le monde ne s'est pas imposée. Nous restons attachés à la notion de héros et de grands hommes capables, à eux seuls, d'influer sur le destin du monde.

Au contraire, Tolstoï nous propose de relire l'histoire en nous intéressant à chacun des hommes qui la font, et pas seulement aux grands hommes que les historiens retiennent. C'est terriblement difficile, exigeant, peut-être seul un génie de sa trempe est-il capable d'une telle prouesse, capable de consacrer les 2 000 pages de *La Guerre et la Paix* à peindre la campagne de Russie en s'attachant à des centaines de personnages tous aussi importants les uns que les autres.

En racontant la vie d'Étienne Chouard entre le 14 juillet 2004 et le 29 mai 2005, je n'ai pas suivi l'exemple de Tolstoï. J'ai effectué une lecture classique de l'histoire. J'ai cherché des causes et des responsables. J'ai voulu montrer comment un homme ordinaire pouvait faire des choses extraordinaires, c'est-à-dire devenir un héros.

Dans sa *Brève histoire de l'avenir* [2], Jacques Attali succombe lui aussi au charme de l'histoire ordinaire. Il a envie de la raconter comme une aventure agréable, simple, avec des lignes de force évidentes. Une fois qu'il les a mises au jour, il essaie de les prolonger en les projetant quelques décennies plus tard. Il écrit d'ailleurs que « l'histoire obéit à des lois qui permettent de la prévoir et de l'orienter ».

Tolstoï doit se retourner dans sa tombe. Pour lui, l'histoire, en tout cas l'histoire postrévolutionnaire, obéit à des mécanismes embrouillés, aucune cause simple ou unique ne se dégage, des faisceaux de causes en nombre quasi infini provoquent chacun des événements. Conséquence de cette complexité irréductible, l'avenir est aussi imprévisible et incontrôlable que le passé est déchiffrable. Mais cette vision, même une fois étayée par de nombreuses découvertes scientifiques [3], a bien du mal à pénétrer nos esprits. Pour nous, demain il fera jour. L'avenir est prévisible. Lorsque les premiers hommes partaient à la chasse, ils savaient qu'ils finiraient par trouver du gibier. Leur avenir était également prévisible.

En fait, le nombre de possibilités offertes par cet avenir était limité. Un accident pouvait arriver, mais c'était exceptionnel : il faisait partie de l'avenir possible et ne remettait pas en cause sa dimension prévisible. Les premiers hommes se trouvaient dans la situation du joueur qui lance un dé. Ils savaient qu'ils allaient obtenir un nombre de 1 à 6.

Ainsi, depuis la nuit des temps, l'idée d'un avenir prévisible avec une faible marge d'erreur s'est ancrée en nous. Nous en avons déduit que le passé était, lui, explicable simplement et qu'en quelque sorte, nous vivions dans une histoire linéaire ou quasi linéaire. Comme nous sommes les descendants de ces premiers hommes, nous partageons involontairement leur vision du monde. Elle est même sans doute inscrite dans notre patrimoine génétique. Prévoir l'avenir est en effet une arme évolutive. Si nous sommes capables d'estimer la probabilité de trouver du gibier à un endroit, nous avons plus de chances de survivre. L'homme est, par nature, un joueur qui a l'habitude de gagner.

Mais, au fil des siècles, les ressorts historiques se sont peu à peu multipliés jusqu'à ce que leurs interactions dépassent en nombre les capacités cognitives humaines. À partir de ce moment, décrit avec une acuité extraordinaire par Tolstoï, l'avenir est souvent devenu impénétrable. Ainsi personne n'a prévu la chute du mur de Berlin en 1989. Personne n'a prévu la révolution numérique. Personne n'a prévu internet – le prévoir revenait à l'inventer. Même Tim Berners-Lee, le concepteur du web en 1990, n'avait pas imaginé les proportions que son invention prendrait et, surtout, ses conséquences économiques, politiques et culturelles. Dans notre monde de plus en plus complexe, nous nous trouvons fréquemment face à des improbables.

« Les événements extrêmes que nous rencontrions primitivement n'étaient pas assez fréquents pour que nous apprenions d'eux, ils étaient même si souvent catastrophiques que la population concernée disparaissait très souvent », explique l'essayiste Nassim Nicholas Taleb[4]. Nous n'avons donc pas appris à vivre dans un monde imprévisible. Les vieilles habitudes des premiers hommes prévalent dans un monde qui n'a plus rien de primitif. Pour le comprendre, il faut sans doute changer de perspective.

Nos sociétés humaines, immensément complexes, se maintiennent dans des états critiques. La moindre petite variation peut engendrer des bouleversements cataclysmiques. Si, au début des années 1990, Tim Berners-Lee n'avait pas inventé le web, les Coréens n'auraient peut-être pas élu un réformateur en 2002, les Français n'auraient sans doute pas voté non lors du référendum européen en 2005 et les républicains américains n'auraient probablement pas essuyé une défaite en novembre 2006.

Si l'histoire obéit à des mécanismes, ils génèrent souvent de l'imprévisibilité. Par ailleurs, la comprendre rétrospectivement nécessite l'étude de tous les événements, mêmes les plus infimes, ce qui revient à affirmer qu'une science historique exacte est impossible.

Pour comprendre l'histoire et la politique aujourd'hui, il est nécessaire d'adopter, au moins un temps, la perspective de Tolstoï. Derrière les personnages visibles, trop visibles sans doute, il faut remonter aux mécanismes historiques.

Topologie du oui et du non

Lorsque j'ai rencontré le journaliste et blogueur Daniel Schneidermann[5] pour lui demander ce qu'il pensait du référendum, il m'a dit que l'extrême gauche avait récupéré Étienne Chouard. J'ai eu l'impression de me retrouver face à Jacques Attali. Quand Daniel Schneidermann parle de récupération, il suppose que l'histoire contemporaine peut être contrôlée. Son analyse relève d'une lecture tradition-nelle de l'histoire, présuppose qu'elle est simple, articulée autour de quelques points évidents et connus de tous.

L'extrême gauche a peut-être essayé de récupérer Étienne, je ne le nie pas même si je n'en suis pas sûr, mais a-t-elle réussi à le contrôler et, au-delà de lui, à contrôler le cinquième pouvoir ? Était-ce seulement possible ? La réponse à cette question me paraît fondamentale pour savoir si le cinquième pouvoir a joué et jouera un rôle poli-tique. Si les partis en place peuvent le manipuler, il n'aura aucune influence historique.

Avant de répondre à cette interrogation, je vais tenter de décrire l'organisation du cinquième pouvoir. Lors du TCE, les militants en faveur du oui et du non, chacun représen-tant une facette de ce pouvoir, ne s'organisèrent pas en partis mais en un seul vaste réseau. Dans ce réseau, construit sur internet, dans la rue, mais aussi grâce aux médias, Étienne Chouard comme Raoul Marc Jennar expo-sèrent des arguments que les partisans nonistes reprirent à leur compte et diffusèrent.

Dans un réseau, les raisonnements de type « A entraîne B, B entraîne C, donc A entraîne C » ne fonctionnent pas : B peut très bien influencer A et mille autres paramètres, ce qui complique immédiatement toute tentative de compré-hension. Notre entendement humain est vite pris de court.

Un réseau est une entité étrange que nous appréhendons difficilement. Pourtant, nous nous organisons souvent en réseau : la chaîne alimentaire dessine un immense réseau, les molécules à l'intérieur de n'importe laquelle des cellules de notre corps interagissent suivant un réseau... Les réseaux sont partout.

Mais lors du TCE, les militants ont-ils créé un réseau ? Ce réseau a-t-il existé ? N'est-il pas un fantasme de blogueurs ? Pour répondre à ces questions, en juin 2005, quelques jours après le référendum, une équipe de l'université de Compiègne cartographia les liens entre les sites en faveur du oui et du non [6]. Pour ce faire, des robots logiciels sautèrent de site en site comme le fait un internaute. Ils partirent d'adresses connues comme celle d'Étienne Chouard et, peu à peu, dessinèrent deux galaxies adverses avec, entre elles, les sites neutres qui servirent de passerelle (fig. 5.1).

Les robots identifièrent 5 000 sites francophones formant un réseau. Parmi eux, 295 avaient accordé une grande place au TCE : 67 % étaient en faveur du non, 33 % en faveur du oui. Ces chiffres ne prouvent pas qu'internet fit gagner le non mais que le non y était majoritaire.

— On peut émettre l'hypothèse que le web a servi de tribune publique à nombre de ceux qui se sentaient écartés des plateaux de télévision ou des grands médias, transformant ainsi en quelque sorte le web en un négatif, au sens photographique, de la télévision, expliquent les chercheurs dans leur compte rendu.

Il est alors intéressant d'étudier cette carte. Au premier coup d'œil, on remarque que le réseau n'est pas centralisé et ne possède pas une structure évidente. Certains sites sont plus connectés que d'autres mais aucun n'est lié à tous les autres. Par ailleurs, des raccourcis lient souvent entre eux des sites périphériques *a priori* très éloignés. Ce réseau ressemble à tous les réseaux sociaux que les hommes constituent spontanément, à tous les réseaux que nous sommes en train de découvrir dans la nature. Il est complexe.

Étienne Chouard y figure en bonne place, ce qui n'est pas surprenant et démontre qu'il fut un maillon important. Mais d'autres sites comme *rezo.net* ou *acrimed.org* sont mieux positionnés, bien que moins médiatisés lors de la campagne. En revanche, les sites des partis, surtout ceux en faveur du oui, sont peu interconnectés, démontrant d'une certaine façon que, pour l'occasion, les citoyens avaient pris les choses en main.

En observant la cartographie, on comprend intuitivement que tous les liens jouèrent, et pas seulement quelques-uns. Les informations circulèrent par de multiples routes, parfois des autoroutes, parfois des chemins de traverse. Si l'on essaie de suivre le cheminement des influences de lien en lien, on est vite pris de vertige, la complexité étourdit. Comment penser alors qu'un homme ou qu'un groupuscule ont pu prendre le contrôle de ce réseau ? Sur quel nœud agir ? Comment être sûr qu'une action ne va pas très vite se transformer en réaction défavorable ?

Les sites du oui et du non, bien que faiblement interconnectés, restaient liés. Les idées passaient d'un côté à l'autre comme les balles au cours d'une partie de tennis. À chaque échange, elles revenaient avec plus de force ou, au contraire, tombaient mollement derrière le filet, voire terminaient leur course dans les tribunes.

Aucun arbitre ne sifflait les fautes, aucun ramasseur de balles ne faisait le ménage. Ce n'était pas l'anarchie, une forme d'ordre était apparue, mais un ordre voulu et pensé par personne. Ce réseau s'apparentait à une sorte de créature vivante, il possédait en tout cas une structure de type organique.

Je pourrais dire la même chose de tous les réseaux, d'internet lui-même, du réseau social que dessine l'ensemble de notre société. Comment contrôler une entité aussi complexe ?

Quand je regarde la cartographie du TCE, je suis incapable d'imaginer comment manipuler l'ensemble des blogueurs pour les faire changer d'avis. Tout au plus je peux essayer d'en influencer quelques-uns en espérant qu'ils en influenceront d'autres. Le pouvoir se limite à l'influence, il ne va jamais jusqu'au contrôle, en tout cas pas dans un monde de réseaux complexes. L'extrême gauche n'a pas contrôlé Étienne Chouard, elle a simplement enfourché le cheval qu'il avait lâché sur internet.

Chercher des explications simples – et même des explications tout court – sur une défaite ou une victoire politique est presque impossible dès lors que les citoyens s'organisent en réseau. Pour Tolstoï « a tort et raison celui qui prétend que c'est le dernier coup de pioche qui a fait s'écrouler la colline que l'on creusait ».

Étienne Chouard a donné le dernier coup de pioche, il est responsable de la chute du TCE, mais ni plus ni moins que les milliers d'autres activistes favorables au non. Si l'histoire le retient lui et pas un autre, c'est parce que « ceux qu'on appelle les grands hommes sont des étiquettes qui donnent leurs noms aux événements historiques », écrit Tolstoï.

Nous avons besoin de grands hommes par souci de simplification. Malheureusement, une fois conscients de l'existence des réseaux, nous ne pouvons plus simplifier, sinon pour raconter des histoires agréables. À l'âge où les réseaux sont de plus en plus denses, où chacun de nous peut y créer de nouvelles connexions, la politique n'est plus une histoire de grands hommes mais d'hommes tous égaux.

Comme l'a démontré Étienne, nous pouvons tous devenir les héros du réseau. Son aventure est inspirante. Il a prouvé que tous les citoyens pouvaient participer à la vie politique et qu'il n'était plus nécessaire d'être initié, d'appartenir à un parti et de passer des années à gravir les échelons de la militance.

La force est dans le réseau

Parler d'un parti est facile. On présente son président, ses dirigeants, on dénombre ses adhérents, on explique ses idées. Parler d'un réseau est beaucoup moins simple.

— Qui est le porte-parole ?

— Personne.

— Qui dirige ?

— Personne.

— Quelles sont les idées ?

— Euh ! Il y en a plusieurs. Elles se contredisent même parfois.

— Nous ne cherchons pas à nous mettre d'accord (c'est-à-dire à tous penser la même chose) mais à nous accorder (c'est-à-dire à aboutir à un ensemble harmonieux en jouant chacun une partition différente), explique François Collet, l'initiateur du réseau freemen, groupe de blogueurs apolitiques auquel je me suis joint.

Dans un réseau, aucun nœud n'est indispensable, nombre d'entre eux peuvent être coupés sans modifier le comportement du réseau, mais ensemble ils créent une force unie, autonome, efficace, malgré ses composantes hétéroclites.

— La force d'un réseau ne se situe pas dans la force de chacun des points qui le composent, ajoute François Collet. La force est entre ces points. La force, c'est le lien, les liens, la confiance, l'intérêt, le soutien qui nous relie tous peu à peu.

Pour Tolstoï : « Plus l'homme est placé haut sur l'échelle sociale, plus le réseau de ses relations avec les autres hommes est étendu, plus il possède d'autorité sur les autres et plus il apparaît que chacun de ses actes est prédéterminé et inévitable. [...] Le roi est l'esclave de l'histoire. »

Autant dire que c'est le réseau qui prend les commandes. Tous les hommes sont interdépendants. Il n'y a aucune échappatoire. C'était vrai à Borodino, c'était vrai en 2005 lors du référendum européen, ça restera vrai tant que les hommes seront libres de s'interconnecter, c'est-à-dire libres d'être solidaires les uns des autres.

Mais qu'est-ce qui change aujourd'hui ?

Depuis l'avènement d'internet, construire des réseaux n'a jamais été aussi facile. Par le passé, il fallait fonder un parti, désigner des cadres, recruter des militants... Dorénavant, tout se passe très vite. Pour chaque débat, pour chaque question, pour chaque problème, des réseaux se forment le temps de trouver une réponse. Nous l'avons constaté début 2006 avec la crise du CPE (Contrat première embauche), pendant laquelle plus de 30 000 jeunes ouvrirent des blogs afin de protester.

Les réseaux naissent aussi vite qu'ils meurent mais pour se réincarner sous des formes mieux adaptées aux nouveaux problèmes ou à leurs évolutions. Après le TCE, Étienne Chouard n'a pas baissé les bras, il a continué son combat contre ceux qu'il appelle les voleurs de pouvoir. Mais le réseau auquel il participe n'est plus le même, il découle de celui de 2005 mais ne partage avec lui que peu de liens.

Ce dynamisme est une force. Les réseaux n'existent pas juste pour exister, ils se forment pour répondre à un problème. Un parti aussi apparaît souvent pour défendre une cause puis il perdure, parce que sa naissance a été douloureuse et qu'il faut rentabiliser l'investissement. Alors il se fige, se sclérose. À l'inverse, les réseaux s'adaptent aux changements.

En contrepartie, une particularité dérangeante les caractérise : leur complexité empêche quiconque de les contrôler à sa guise. Certains y verront un point positif, impliquant la responsabilisation de chacun des citoyens membres du réseau. D'autres le ressentiront comme un danger car les gouvernements ont de plus en plus de mal à gouverner : au sens strict du terme, ils deviennent incapables de plier l'histoire à leur volonté.

Explosion des clivages gauche-droite

Lors de la bataille du TCE, ce n'est pas un homme qui l'emporta, pas un parti, pas une faction, pas une force définie et obéissant à un chef de file identifié. Le TCE ne fut pas une histoire de récupération mais l'occasion d'une complète redistribution des cartes.

Nous avons assisté à l'explosion du clivage gauche-droite. Certains citoyens de gauche étaient pour le traité, d'autres contre. À droite, des opinions aussi diverses s'exprimaient. Les analystes ne parvenaient pas à classer les partisans du non et du oui, surtout ceux qui s'étaient détournés des partis. Le débat se jouait sur un autre plan : les politologues ne possédaient pas sa grille de lecture.

En France, depuis 1789, tout était simple pourtant : les positions politiques pouvaient être pointées sur un axe partant de l'extrême gauche, passant par le centre et se terminant à l'extrême droite.

Lorsque, en 1977, les écologistes apparurent sur la scène politique française, on leur imposa une position sur cet axe, comme s'ils ne pouvaient être que de gauche ou de droite, comme si ce positionnement était plus important que l'écologie ! En conséquence, le mouvement se fractionna en une multitude de tendances éparpillées entre la gauche et la droite.

Cette classification linéaire avait beau montrer quelques limites, surtout dès qu'il était question de l'Europe, elle résistait vaillamment. Les initiatives ni de droite ni de gauche étaient rejetées, notamment parce qu'il n'y avait pas de structures partisanes pour les soutenir. Les libéraux-sociaux n'avaient aucune chance de passer au premier plan. Ils étaient soit libéraux, c'est-à-dire de droite, soit sociaux, c'est-à-dire de gauche. La pensée unique, ou plutôt bilatérale, dominait. Le livre de Zeev Sternhell sur l'idéologie fasciste en France[7] l'avait ancrée encore davantage en montrant que les fascistes n'étaient ni de droite, ni de gauche. Et, de peur d'être désigné fasciste, personne n'osait plus se dire « ailleurs ».

L'histoire politique française aurait donc pu poursuivre sur sa lancée simplificatrice. Mais patatras, le débat autour du référendum européen mélangea la donne et l'univers politique bascula sur son axe. Était-ce un accident ?

Non, ce bouleversement correspond à la montée en puissance du cinquième pouvoir. Les citoyens ne sont plus guidés par des chefs qui leur dictent ce qu'il faut penser, ils pensent à leur tour, ils font de la politique hors de tout cadre normatif. Ils n'ont plus besoin de parti pour se fédérer. Dynamiquement, ils créent des réseaux afin de répondre aux problèmes ou aux questions posés. Internet est un espace non borné, où les frontières floues et perméables favorisent les unions qui, jusqu'alors, paraissaient impossibles.

L'équipe de l'université de Compiègne en apporta la preuve. Dans la cartographie du TCE, elle classa les sites par parti (fig. 5.2 et 5.3). On remarque que chaque parti dessine des communautés hautement interconnectées, conservant leur autonomie, mais qui sont malgré tout liées avec les communautés *a priori* adverses. Des alliances de circonstance s'étaient nouées, démontrant que les citoyens étaient capables de briser les clivages traditionnels.

Un an plus tard, au printemps 2006, une étude Ifop révéla que 69 % des Français ne se sentaient représentés ni par la droite ni par la gauche[8]. La rupture semblait consommée. Par le passé, la gauche était progressiste, la droite conservatrice. Les écologistes penchaient donc plutôt à gauche. Aujourd'hui, ce schéma n'a plus aucun sens. Il y a des libéraux écologistes, des conservateurs à gauche, des amoureux du service public et de l'État à droite.

Une autre cartographie des forces politiques en présence sur le web révèle l'éclatement des clivages (fig. 5.4). Les forces non étiquetées, même sans y inclure les écologistes, représentent 33 % de l'ensemble ! Soit le web n'a aucun rapport avec la réalité, soit les médias nous donnent une image fausse de la réalité.

Cette cartographie éclatée du paysage politique témoigne de la montée en puissance du cinquième pouvoir. Il existe dorénavant presque autant de courants que d'individus. Il n'y a plus un monde mais un ensemble de mondes qui s'interpénètrent, chacun avec sa propre histoire.

L'histoire de tous les hommes

Lors du référendum, tous les regards se portèrent sur Étienne Chouard, peut-être parce qu'il avait poussé sa logique un peu plus loin que les autres mais, surtout, parce que les médias ont du mal à raconter l'histoire à la façon de Tolstoï. La polyphonie propre au réseau, la multiplication des personnages exigent trop de temps d'antenne et trop d'espace sur le papier. Pour communiquer efficacement, il faut simplifier quelque chose de profondément complexe... qui ne peut être simplifié. C'est ce que j'ai fait en racontant le TCE.

« Tant qu'on écrira l'histoire des individus – des César, des Alexandre, des Luther ou des Voltaire – et non pas l'histoire de TOUS les hommes, de TOUS ceux, sans une seule exception, qui ont participé à l'événement, il est absolument impossible de décrire le mouvement de l'humanité sans faire appel à la notion d'une force qui oblige les hommes à diriger leurs activités vers un seul but, écrit Tolstoï. Et la seule notion de ce genre que connaissent les historiens, c'est le pouvoir. »

Beaucoup d'événements historiques sont incompréhensibles si nous n'essayons pas de prendre en compte l'histoire de TOUS les hommes.

— Pour ce qui est de l'esclavage, nos historiens ont retenu le nom de Victor Schœlcher, explique François Collet. Très bien. Mais qui a réellement aboli l'esclavage ? Quelques hommes dont nous ne connaissons pas les noms. Quelques esclaves qui se soulèvent à Saint-Domingue, déclarent leur liberté et leur indépendance et foutent alors une trouille terrible aux colons du reste du monde. Voilà les *grands hommes*.

Dans la lignée de Tolstoï, François Collet aime montrer que les réseaux décentralisés ont toujours existé, qu'ils ont toujours été les moteurs de l'histoire.

— Nous retenons les noms de Churchill et de Gaulle, entre autres, parce que c'est plus simple. Mais ils sont évidemment devancés, entourés, motivés, influencés, parfois combattus par des centaines d'inconnus. Ces deux noms ne sauraient résumer la Résistance et la décolonisation. L'une comme l'autre sont au contraire l'œuvre de centaines d'inconnus qui auront su penser avant et plus loin. Pour arriver au « Je vous ai compris » du général de Gaulle à Alger, il fallut d'abord des milliers d'opposants à la colonisation. Et les premiers s'exprimèrent dès l'invasion de l'Algérie par les troupes françaises près d'un siècle avant, au moment où Tocqueville alignait discours sur discours à l'Assemblée pour faire l'éloge de cette invasion et, avec elle, de l'avancée du « progrès » ! On nous présente aujourd'hui ces idées comme ayant été dans « l'air du temps ». Il y aurait eu un consensus, et tout le monde aurait été pour. C'est faux ! Des gens avaient déjà conscience de l'horreur. Ils arrivaient à s'extraire de l'air du temps. Je crois que ce sont eux qui ont vraiment fait avancer les choses. Même si nous ne retenons finalement que les noms de quelques « chefaillons » qui, pour la plupart, sont juste passés à côté de l'essentiel.

L'abolition de l'esclavage, la fin de la colonisation, la Résistance tout comme les campagnes napoléoniennes décrites par Tolstoï mirent du temps à prendre leur ampleur, de quelques années à plusieurs siècles. Les réseaux de résistance se tracèrent peu à peu jusqu'à ce qu'ils déferlent soudainement, portant au sommet de leur vague quelques grands hommes.

Aujourd'hui, grâce aux nouvelles technologies, ces réseaux se dessinent beaucoup plus vite, en quelques mois par exemple lors du TCE. Leur échelle de temps a rejoint la nôtre. Nous respirons à la même vitesse. Nous appartenons soudain au même univers temporel qu'eux, du coup, nous commençons à les reconnaître. Nous ne sommes certes pas en train d'écrire l'histoire de TOUS les hommes à laquelle aspirait Tolstoï mais nous savons cartographier leur interaction sociale, donnant à leurs œuvres jusqu'ici négligées leur véritable importance.

Le réseau devient une force historique visible, une force capable de porter des projets non partisans, impossibles à classer à gauche ou à droite, des projets qui dépassent de loin les querelles de pouvoir. Une fois que nous avons reconnu cette force, nous ne pouvons plus voir les choses comme avant. Les grands hommes deviennent des hommes comme les autres : ils ont juste la particularité de donner le dernier coup de pioche.

Leur rôle reste fondamental. Lorsque François Mitterrand a aboli la peine de mort en France, il l'a fait contre la majorité des Français au nom de l'intérêt général, avec l'aide d'un réseau de soutien, souvent formé de citoyens anonymes, qui se révoltaient contre l'horreur. Un grand homme est toujours quelqu'un qui porte les aspirations d'un réseau. Grâce à cette force qui le pousse, il fait avancer l'histoire d'un bond.

Après les managers, les leaders

« L'ensemble des causes d'un phénomène est inaccessible à l'intelligence humaine, mais le besoin de rechercher ces causes est inscrit dans l'âme de l'homme, écrivait Tolstoï. Et l'intelligence, étant incapable de saisir la multiplicité et la complexité des conditions d'un phénomène, dont chacune peut paraître la cause, s'empare de la plus proche, de la plus facile à comprendre, et déclare : voilà la cause. »

Dans le cas des événements historiques, cette cause est souvent attribuée au pouvoir des personnages historiques, parfois au pouvoir des businessmen, aujourd'hui souvent des médias. Mais avec l'apparition des héros anonymes, des héros citoyens, le pouvoir se dilue entre toutes les mains. Il n'appartient à personne, il appartient à tous, il appartient aux réseaux. En fait, deux visions du monde s'opposent.

1/ La vision classique imagine l'histoire comme un phénomène relativement simple, une succession de causes et d'effets, les mêmes causes produisant toujours les mêmes effets. Les grands hommes seraient alors capables d'appréhender les rouages historiques et d'agir sur eux pour que l'avenir se conforme à leurs désirs.

2/ La vision tolstoïenne imagine que le pouvoir se distribue entre TOUS les hommes libres. Cette histoire décentralisée, distribuée, n'est l'œuvre de personne en particulier mais de chacun de nous. Personne n'a le pouvoir de changer le monde. Ensemble nous détenons tous les pouvoirs.

Pour porter ces deux visions, il y a d'un côté les politiciens que j'appelle les managers, de l'autre côté ceux que j'appelle les leaders.

Les managers font penser à Napoléon, qui voulut contrôler, qui crut y parvenir et qui persuada les historiens qu'il y était arrivé. Le manager est convaincu qu'il sait ce qui est bon pour les citoyens, il croit avoir la solution, il pense pouvoir améliorer les choses. En quelque sorte, le manager est un paternaliste.

Le leader, lui, avoue ne pas tout savoir. Il n'a pas de réponse *a priori*. Il espère que les citoyens trouveront les solutions en usant de leur imagination et de leur liberté. Le leader ne contrôle pas, il se moque du pouvoir des managers. Il motive, il donne le cap, il ne dit pas comment atteindre la destination qu'il estime la meilleure.

Durant la campagne de Russie, le général Koutouzov se comporta en leader. Il laissa le peuple russe répondre à ses aspirations. Il ne le dirigea pas, il ne commanda pas l'armée, il ne fit que lui suggérer «patience et longueur de temps». Le peuple russe se sauva lui-même. Koutouzov laissa faire, en leader de la liberté. Il se contenta de donner le la et d'indiquer la direction.

«Ce n'est qu'en prenant pour objet de nos investigations une unité infinitésimale, la différentielle de l'histoire, c'est-à-dire les tendances, les aspirations communes des hommes, et en apprenant à l'intégrer, c'est-à-dire à faire la somme de ces unités infinitésimales, c'est alors seulement que nous pourrons espérer connaître les lois de l'histoire, écrivait Tolstoï. »

D'une certaine façon, il avait pressenti la théorie des réseaux et compris que chacun des liens contribuait à l'ensemble : tous avaient une importance infime mais capitale. Dans ce réseau, les éléments les plus visibles n'étaient pas nécessairement les plus importants ; ces derniers, personne n'avait la prétention d'en parler. Les gens agissaient, c'était ça qui comptait.

« La majorité des gens de cette époque [durant les guerres napoléoniennes en Russie] ne prêtait aucune attention à la marche générale des événements, étant uniquement préoccupée de leurs intérêts particuliers, précisa Tolstoï. Et c'est précisément l'activité de ces gens-là qui s'avéra la plus efficace. »

Les politiciens disposent alors de deux tactiques.

1/ Ils imitent Napoléon et deviennent des managers. Pour contrôler le réseau des citoyens, ils doivent en réduire la complexité par des lois répressives. Au cours de l'histoire, cette approche a démontré son efficacité. Je ne sais pas si elle est souhaitable à une époque où de graves problèmes, tels les problèmes environnementaux, nous menacent. Il serait dangereux de nous faire croire que quelqu'un connaît des solutions miracles. Nous avons, il me semble, besoin de l'intelligence de tous.

2/ Ils imitent Koutouzov. Plutôt que de manager la complexité par nature incontrôlable, ils deviennent des leaders et incitent les citoyens à aller de l'avant. Comme les judokas, ils utilisent la force du cinquième pouvoir et ne cherchent pas à la combattre. Ils se transforment, au sens positif, en gentils organisateurs. Leur travail consiste à créer du lien, de l'harmonie au sein d'un groupe hétérogène. Ils doivent insuffler de l'enthousiasme, de l'envie, et ne jamais chercher à tout contrôler, à tout manager. Dans ce cas, ils briseraient l'élan général et empêcheraient l'intelligence collective de fonctionner.

Un leader donne du sens à la vie de tous les citoyens, il leur ouvre des perspectives de bonheur, il leur montre la route. C'est un visionnaire. Il les rassemble derrière un rêve pour l'avenir tout en les laissant découvrir les moyens de le concrétiser. Et si, en chemin, le rêve s'avère inaccessible, il faut accepter d'en changer. Personne ne peut prévoir l'avenir mais le leader sait que si les citoyens cessent de l'imaginer, la vie perd beaucoup d'attrait.

La nouvelle donne politique

Nos politiciens peuvent-ils choisir entre la voie du manager et celle du leader ? En résumé, la politique à l'ancienne est-elle encore possible ?

Imaginons un cabinet ministériel qui voudrait faire passer notre société d'un état à un autre. Par exemple d'une situation de chômage à une situation de plein-emploi. Sur quels points devra-t-il appuyer ? S'il agit ici, il obtiendra une réaction là, puis là, puis bientôt des contre-réactions se manifesteront sur le point d'action initial. Très vite, plus personne n'y comprendra rien. Plus il y a de nœuds dans le réseau, plus le puzzle devient insoluble.

La société ressemble à un jeu de mikado, le politicien à un joueur qui vient d'éparpiller les baguettes devant lui. Certaines, par exemple celles correspondant à la sécurité routière, ont roulé hors du tas initial. Il peut s'en saisir sans risque, les déplacer, les réordonner. Ainsi, dans le cas d'un problème périphérique, il a un pouvoir indéniable.

Mais d'autres baguettes, par exemple celles correspondant au chômage, se trouvent coincées sous la pile. Lorsque le politicien s'en empare, de nombreuses autres se déplacent, dessinant une nouvelle configuration pas forcément plus satisfaisante que l'initiale. Pire, il risque de se rendre compte que les baguettes qu'il tient en main ne correspondent pas à celles désirées, il va devoir les remettre dans le tas pour essayer de réparer son erreur.

Voilà ma vision du manager. Dans les situations simples, il est efficace mais jamais dans les situations complexes. Lorsque les structures sociales en réseau dominent le monde, le pouvoir n'est plus une science exacte, il devient un jeu de hasard dont les dés posséderaient des millions de faces.

Encore une fois, la force de l'habitude nous fait croire que nous maîtrisons notre destinée, elle persuade nombre de politiciens qu'ils peuvent tout contrôler. Naturellement, ils deviennent des managers. Pour rassurer leurs électeurs, ils affirment qu'ils maîtrisent la situation. Ils refusent d'admettre qu'un réseau se maintient en bon ordre principalement grâce à l'effort conjoint de tous.

Toutefois, ils ont compris qu'internet comptait en politique. Pour être élus, tant au niveau national que local, ils ne peuvent plus ignorer le réseau. Ils exhortent donc leurs sympathisants à se positionner sur le web en publiant des billets dans les blogs, en commentant ceux des autres sympathisants ou des opposants, en discutant sur les forums.

Mettons-nous dans la peau de l'un de ces managers. Il a l'habitude d'employer des colleurs d'affiches. En général, les tracts sont imprimés par le QG avant d'être distribués aux cellules locales puis aux militants. Le processus est sous contrôle. En cas de dérapage, le manager sait contre qui se retourner.

Sur internet, la manœuvre est plus risquée car les militants parlent avec leurs mots. Avant de s'exprimer, ils ne consultent pas le QG de campagne. S'ils le faisaient tous, le QG serait incapable de leur répondre. Alors, en leur âme et conscience, ils publient les textes et les images qui leur semblent appropriés. Le manager n'a aucun moyen d'empêcher la propagation de certaines informations de blog en blog.

Dorénavant, quand un militant désire dire quelque chose, il le dit, que son propos soit brillant ou stupide. Bien malin celui qui pourra prévoir si cette parole se retournera au bénéfice ou au détriment du parti. Dans un réseau, un militant isolé peut faire autant de bruit qu'une armée de sympathisants. S'il nuit au parti, s'il défend des thèses déplaisantes, personne ne peut le faire taire. Une fois un message lâché, plus personne n'est en mesure de le rattraper.

Pour les partis, le web est et restera une arme à double tranchant car il prive les QG de tout contrôle. De fait, la politique appartient de plus en plus aux citoyens qui débordent peu à peu des organes structurés et hiérarchisés.

Les voix des chefs de partis vont finir par se dissoudre dans celles des sympathisants. Pendant que les citoyens gagneront de l'importance, les managers en perdront. Les uns montent, les autres descendent, nous assistons à un aplatissement progressif des structures politiques.

En poussant les sympathisants à s'engager sur le web, les partis sont les premiers responsables de cet aplatissement qui, à terme, transformera leur structure pyramidale en structure en réseau. En militant sur internet, les partis suivent une voie qui ne peut que conduire à un bouleversement du paysage politique.

Les politiciens devraient comprendre qu'ils n'ont rien à perdre en adoptant la vision de Tolstoï. Après leurs premiers pas de blogueur, après avoir eux-mêmes renforcé le réseau, ils doivent maintenant devenir des LEADERS. C'est leur seule chance de l'emporter ; c'est aussi, en s'appuyant sur l'énergie créative de TOUS les citoyens, l'unique moyen de mener des politiques non conflictuelles.

CHAPITRE 6

BUZZ MARKETING

Le bouche-à-oreille high-tech

Les médias traditionnels diffusent des messages. Les blogs démarrent des conversations.

Loïc Le Meur [1]

Angers, 21 janvier 2006, lors d'une réunion des militants socialistes du Maine-et-Loire, Ségolène Royal dit :

— Il va falloir être assez révolutionnaires dans les propositions que l'on va faire. Moi, j'ai fait une proposition – par ailleurs je ne vais pas encore la crier sur les toits parce que je ne veux pas me prendre des coups des organisations syndicales enseignantes. [...] Moi, je pense qu'une des révolutions, c'est de faire les 35 heures au collège, c'est-à-dire que les enseignants restent 35 heures au collège. [...] On est quand même dans un système absurde où, aujourd'hui en France, on a maintenant des entreprises cotées en bourse de soutien scolaire, Academia, etc., qui donnent droit à des déductions fiscales, et ceux qui font cours dans ces entreprises, euh! c'est les profs du secteur public! Donc comment se fait-il que des enseignants du secteur public aient le temps d'aller faire du soutien individualisé payant et ils n'ont pas le temps de faire du soutien individualisé gratuit dans les établissements scolaires ?

Ce jour-là, un militant socialiste filmait la réunion. Le 8 novembre, sous le pseudo Jules Ferry, un inconnu forcément en relation avec ce militant publia la vidéo sur *dailymotion.com*[2]. Intitulée « Profs : Ségolène en off », elle attira l'attention de quelques blogueurs, dont le populaire Versac[3].

Le 9 novembre à 1 heure 38 du matin, un des commentateurs du Politic Show de Nicolas Voisin signala l'existence de cette vidéo[4]. En s'éveillant et découvrant cette note, Nicolas s'empressa d'évoquer la vidéo sur son incontournable Nues Blog[5]. Presque aussitôt, la journaliste Constance Baudry lut son billet et écrivit un article, publié par *Le Monde* du jour[6].

À une semaine des primaires socialistes pour l'investiture à la présidentielle 2007, c'était une véritable bombe. Plus de 400 blogueurs discutèrent de la vidéo d'Angers. Près de 1 million d'internautes la visionnèrent et tous les médias la reprirent, notamment les télévisions. Une nouvelle fois, une news lâchée sur internet touchait l'ensemble de la population, prouvant que l'influence de la blogosphère dépasse largement la blogosphère elle-même.

Du jour au lendemain, alors que Nicolas Sarkozy caracolait en tête du baromètre *bonVote.com* – analyse en temps réel des billets postés par les blogueurs –, Ségolène Royal prit la pole position. Le buzz l'avait rattrapée, et il n'était pas nécessairement positif. Cette mésaventure n'empêcha pas la candidate d'emporter les primaires socialistes du 16 novembre, mais elle donna des armes à ses adversaires.

Nous entrons dans un âge de transparence politique. Tout ce qui se dit à un moment donné peut resurgir à un autre. Les moteurs de recherche deviennent de véritables détecteurs de mensonge[7].

— Les hommes politiques doivent imaginer qu'un de leurs électeurs sera toujours branché sur le net et pourra distinguer le vrai du faux, déclara Eric Schmidt, PDG de Google[8].

Dorénavant, les clips mis en ligne par les citoyens auront autant d'impact que les images diffusées à la télé. Lors de la campagne présidentielle américaine de 2004, *The Land*[9], une satire publiée sur *JibJab.com*, toucha 30 % des internautes américains, soit plus de 50 millions de personnes ! Une étude de The Institute for Politics, Democracy & the Internet[10] montra même que les vidéos échangées sur internet jouèrent un rôle clé lors du face-à-face Bush-Kerry.

— Les publicistes obsédés par la télé n'avaient pas saisi le changement radical que *JibJab.com* impliquait en politique, dit Karen Jagoda, présidente du E-Voter Institute[11]. Soudain, quelques centaines de dollars dépensés intelligemment en ligne pouvaient avoir des retombées équivalentes à des millions dépensés à la télé.

La guerre de l'ortie

À l'image de la vidéo d'Angers ou du texte d'Étienne Chouard, si un message devient populaire au sein de la blogosphère, il finit toujours par atteindre les médias qui, ayant compris qu'internet joue un rôle politique, ne peuvent plus l'ignorer.

Dans le cas de la vidéo de Ségolène Royal, le message n'a même pas eu le temps de se populariser sur le web. Il a suffi que quelques blogueurs influents en parlent pour que *Le Monde* s'en fasse l'écho. L'intrication entre internet et médias ne cesse de croître.

Certaines histoires, mentionnées dans les médias puis reprises et amplifiées sur internet, reviennent vers les médias comme un boomerang. L'affaire du purin d'ortie est un cas d'école.

1/ Tout commença le 5 janvier 2006, avec la publication de la nouvelle loi d'orientation agricole. Son article 70 interdit « la fabrication, l'utilisation et la recommandation de tout produit permettant de protéger les plantes s'il ne bénéficie pas d'une autorisation de mise sur le marché. Il est ainsi désormais impossible de diffuser la recette de produits naturels à effet phytosanitaire comme le purin d'ortie sous peine de 30 000 euros d'amende et 3 mois de prison pour l'utilisation et la détention, 75 000 euros d'amende et 2 ans de prison pour leur recommandation [12]. »

2/ Le 1er juillet, un décret mit en application l'article 70. Un chroniqueur horticole s'en indigna sur France Inter : interdire les préparations maison comme le purin d'ortie, excellent engrais naturel et antiparasitaire, c'était entraver l'agriculture biologique, accorder une préférence évidente aux pesticides industriels. Ce cri d'alarme, bien que diffusé sur une grande radio, ne fit aucun bruit.

3/ Le 1er septembre, la répression des fraudes débarqua chez un promoteur de techniques agricoles alternatives.

— L'intervention des services de l'État s'est conclue par la saisie de cours théoriques (quid de la liberté d'expression et d'enseignement ?), la profération de menaces non dissimulées et l'interdiction de pratiques aussi diverses et incongrues que celle d'aller récolter, avec les stagiaires, des plantes sauvages dans la nature ! pouvait-on lire le 4 septembre sur le site Tela Botanica, réseau de la botanique francophone[13].

4/ Dès le 6 septembre, les blogueurs commencèrent à battre du tambour, notamment Isabelle Delannoy[14], collaboratrice de Yann Arthus-Bertrand.

5/ Le 15 septembre, l'histoire finit au journal de 20 heures de TF1[15]. La boucle était bouclée. La blogosphère avait servi de caisse de résonance à une information diffusée sur France Inter mais ignorée par les autres médias. Le ministère de l'Agriculture annonça qu'il allait réviser l'article 70.

Traditionnellement, la propagation des informations s'effectue en trois étapes.

1/ Un journaliste découvre une information.

2/ Il la diffuse sur le média pour lequel il travaille.

3/ Les médias concurrents la reprennent éventuellement.

Dans le cas du purin d'ortie, sans l'intervention de la blogosphère, nous en serions restés à la deuxième étape. Un nouveau scénario se dessine peu à peu.

1/ Une information brute apparaît, soit sur un média traditionnel – le purin d'ortie –, soit sur un site web – la vidéo de Ségolène Royal.

2/ Éventuellement, elle est reprise par les médias, qui la répètent inlassablement.

3/ Dans la blogosphère, l'information est analysée, commentée, recoupée. Les blogueurs peuvent approfondir car ils disposent d'un espace d'expression illimité. Le 21 octobre, Nicolas Voisin interviewa François Bayrou pendant trois heures et diffusa la vidéo dans son intégralité [16]. Jamais une télévision ou un journal n'auraient pu se payer un tel luxe. Un blogueur, oui [17].

4/ Lorsque, sur internet, l'information a atteint un certain niveau de buzz, les médias se la réapproprient, l'expliquent et la synthétisent. Ils ne peuvent d'ailleurs pas faire autrement, par manque d'espace ou de temps.

Entre internet et les médias traditionnels, la différence d'espace/temps est cruciale. Les blogueurs disposent d'une bande passante illimitée. Pour les journalistes, elle est étriquée : temps limité à la télévision ou à la radio, espace limité dans la presse. Les médias n'ont aucune chance d'écrire l'histoire en adoptant la méthode de Tolstoï, c'est-à-dire en s'intéressant au moindre petit détail. En revanche, les blogueurs adoptent cette méthode.

Entre les médias et internet, une forme de complémentarité s'installe. Le cinquième pouvoir doit toutefois prendre garde de ne pas se transformer en une extension du quatrième pouvoir. La complémentarité ne doit pas devenir « collaboration ».

La télévision pousse à l'abstention

En discutant de la bataille de Borodino et de l'organisation en réseau du cinquième pouvoir, je suis arrivé à la conclusion suivante : deux visions du monde s'opposent, d'un côté la vision classique, qui croit en la puissance des grands hommes, de l'autre la vision de Tolstoï, qui croit en la puissance distribuée entre les hommes libres.

Elles se traduisent par deux approches médiatiques : alors que les télévisions, les radios et les journaux arrosent tous les citoyens à la fois depuis des sources uniques, internet plonge les internautes dans un champ d'informations multidimensionnel.

Les médias utilisent un mode de communication du « haut vers le bas », *top-down* en anglais, qui a pour particularité de partir d'un centre, l'émetteur, et de s'adresser à tous. Pour les spécialistes du marketing, la télévision est un média de *un à tous*.

— À la base, le métier de TF1, c'est d'aider Coca-Cola, par exemple, à vendre son produit, explique Patrick Le Lay, PDG de la chaîne [18]. Or, pour qu'un message publicitaire soit perçu, il faut que le cerveau du téléspectateur soit disponible. Nos émissions ont vocation de le rendre disponible. C'est-à-dire de le divertir, de le détendre pour le préparer entre deux messages. Ce que nous vendons à Coca-Cola, c'est du cerveau humain disponible.

Tout est dit. La télévision entre en force dans nos cerveaux. Elle nous coince dans un fauteuil puis elle nous pilonne sans interruption. Son but : faire de nous des consommateurs.

— La télévision a besoin de tuer les communautés et de promouvoir l'individu en l'isolant, pour le fragiliser, le mettre à merci, pour vendre enfin, explique José Ferré sur son blog [19]. [...] L'intérêt pour la chose collective – en particulier la politique – ne pouvait donc que décroître.

Aujourd'hui, tout le monde clame que la politique n'intéresse plus personne et c'est vrai. Au cours de la seconde moitié du XXe siècle, les citoyens se désengagèrent peu à peu de la vie démocratique. En France, entre 1958 et 2005, le taux d'abstention moyen doubla, passant de 19 à 38 %. Pendant ce temps, la télévision entra dans tous les foyers, accaparant chaque jour davantage de téléspectateurs : plus il y avait de télés, moins on votait (fig. 6.1).

Corrélation ou simple hasard ? Personne ne pourra le démontrer, mais je trouve la coïncidence intéressante. En partie à cause de la télévision, la politique est devenue un show, lointain, réservé à une élite, un spectacle peu intéressant, de plus en plus privé de sens, coupé de la réalité quotidienne, un spectacle auquel nous participons de moins en moins.

Alexis de Tocqueville nous explique pourtant que l'essence de la démocratie est l'égalité de tous à participer à la vie démocratique. Dans la jeune Amérique républicaine, si un obstacle venait à bloquer une route, les citoyens vivant alentour se regroupaient pour rétablir la circulation. Ils n'attendaient pas l'intervention des services publics, ils ne réclamaient rien à personne, ils agissaient par eux-mêmes. Cette capacité d'action collective, cette politique naturelle, alors si dynamique, a perdu de la force tout au long de la seconde moitié du XXe siècle. Les citoyens emmurés dans leur individualisme se sont désengagés de la vie publique, ne se réveillant que lors de rares élections ou manifestations.

En 2004, une étude de l'ONU montra que seuls 20 % des Latino-Américains faisaient confiance à leur gouvernement [20]. Toujours selon l'ONU, les deux tiers des habitants de la planète ne s'estimaient pas représentés par leurs gouvernants [21]. Aux États-Unis, entre 1970 et 2000, le nombre d'adhérents aux différents partis baissa de 42 % [22]. Les meetings devinrent de moins en moins populaires. La politique n'intéressait plus car elle se faisait toujours ailleurs, par images interposées.

Internet à contresens

Alors que la télévision nous habitue à recevoir les informations, internet nous incite à les échanger et à créer des communautés. Est-ce suffisant pour engendrer un bouleversement de la vie politique ? Afin de trouver une réponse qui dépasserait mes intuitions, je me suis encore une fois amusé à superposer quelques courbes (fig. 6.1). J'ai noté la chose suivante : en même temps que le nombre d'internautes augmente et que les blogs se multiplient, la participation redémarre. Mesurée en nombre d'adhérents dans les grands partis, elle n'est certes pas très significative – surtout quand les cartes de membre sont bradées sur internet –, mais elle donne une tendance.

La corrélation est-elle réelle ou illusoire ? À force de lire les blogs, j'ai l'impression qu'une énergie contenue durant des années se libère soudain par de nouvelles voies, en même temps que de nouveaux enjeux apparaissent (mondialisation, dérèglements climatiques, pollution…). Fatigués de l'isolement dans lequel la télévision les a plongés, les citoyens retrouvent le sens de la communauté. Après avoir repris goût à la participation sur internet, ils n'ont plus envie d'y renoncer et recherchent d'autres modes d'engagement, le militantisme par exemple.

Alors que la télévision détruit les communautés en enfermant les téléspectateurs dans leur salon, internet pousse les internautes à aller les uns vers les autres. Les deux médias ont des fonctionnements opposés, ce qui implique des stratégies de communication différentes. D'une certaine façon, pour être visible à la télévision, il faut beaucoup d'argent car il n'y a pas de la place pour tous ; pour être visible sur internet, il faut beaucoup d'intelligence car on doit se différencier de TOUS les autres.

Sur internet, le collaboratif prime. Les choses commencent en bas puis remontent. On parle de « bas en haut », de *bottom-up*, d'approche organique. On sème des graines et on attend que certaines germent, qu'elles deviennent des arbres et donnent éventuellement naissance à une forêt. On imite le jardinier. On sarcle, on ratisse, on prie pour qu'il pleuve au bon moment, on n'a aucune certitude, on ne sait jamais si la récolte sera bonne avant le jour de la cueillette. Dépenser des millions augmente les chances de succès d'une campagne de communication, mais dans une moindre mesure qu'à la télévision.

Alors que les médias traditionnels se rangent dans le camp du déterminisme, privilégiant les approches de haut en bas, censées fonctionner à tous les coups, internet favorise le bas en haut, les stratégies mieux adaptées à la complexité propre à nos sociétés technologiques.

Cette différence peut paraître anecdotique : elle préfigure pourtant une révolution au moins aussi importante que l'invention de l'imprimerie. Avant Gutenberg, les livres circulaient de personne à personne. Depuis, ils partent d'un auteur pour rejoindre, à travers les libraires, les lecteurs. La télévision adopte le même procédé tout en rendant le message plus accessible encore.

Sur internet, il n'y a plus un émetteur – ou quelques-uns dans le cas des livres ou des chaînes câblées par exemple –, mais une foule d'émetteurs. Si la télévision est un média de *un à tous*, internet un média de *plusieurs à plusieurs*.

Après Gutenberg[23], le *un à tous* engendra la Réforme, puis la Révolution française. Quelles seront les conséquences du *plusieurs à plusieurs* ? Personne ne peut les prévoir, mais elles seront sans doute immenses, notamment dans la vie politique. Les managers apprirent à utiliser la télévision, les leaders apprennent à utiliser internet.

Un manager veut contrôler, il a besoin d'un média qui fonctionne à coup sûr, un média déterministe comme la télévision, qui écarte la concurrence moins fortunée. Le leader sait que ce coup sûr est utopique, quoi qu'en disent les patrons des chaînes. Il préfère l'indéterminisme propre à internet : risquant de perdre, il peut gagner beaucoup plus, d'autant qu'il ne devra son succès à aucune élite.

Par essence, le leader est joueur. En choisissant de communiquer sur internet, il abandonne le contrôle à des inconnus, espérant que ses idées se bonifieront en cours de route grâce au travail de tous les relais de l'information.

Le *plusieurs à plusieurs* a beau être erratique, il n'en demeure pas moins redoutable, surtout parce qu'il est à la portée de tous les citoyens, comme nous le démontrent sans cesse les vidéos amateurs diffusées sur internet.

Initiateurs et connecteurs

Les médias n'ont plus le monopole de la diffusion de masse. En même temps qu'ils perdent cette prérogative, internet les concurrence sur un nouveau terrain. Tandis qu'ils transmettent des messages anonymes, sur le web circulent des messages personnalisés qui se propagent au sein d'immenses communautés.

Les blogs sont l'une des parties émergées de cet iceberg médiatique. Nous lisons ceux que nous apprécions avec la même attention que les mails envoyés par nos amis. Ces liens par affinités, cette propension à l'influence –

renforcée par la possibilité de commenter –, favorisent la création de communautés pouvant comporter des milliers de personnes.

Au-delà des analyses et des informations publiées, les blogs sont des outils communautaires, au même titre que les services de socialisation comme *myspace.com* ou *viaduc.com*. Ils sont non seulement des médias, nouvelles briques du quatrième pouvoir, mais avant tout des fédérateurs de communautés d'où émerge le cinquième pouvoir. Ils en constituent la colonne vertébrale.

La grande majorité des blogueurs se contente d'ailleurs de reproduire des informations publiées par d'autres. Ils sont les maillons d'un réseau social dont la structure devient visible grâce aux blogrolls, les listes de blogs amis.

Différents réseaux cohabitent et s'interpénètrent. Ils constituent des communautés qui pèsent d'autant plus en politique qu'elles sont ouvertes et en croissance. Si l'une d'entre elles est limitée à un groupuscule, elle ne jouera aucun rôle hors de ce groupuscule.

Ouverture et connexion sont deux critères déterminants à la diffusion d'informations. Il suffit de penser à la propagation du sida. Sans libération sexuelle, autant dire sans ouverture, le virus se serait propagé beaucoup moins vite, il aurait peut-être tué tous ses hôtes avant d'en atteindre de nouveaux. Les épidémiologistes pensent d'ailleurs que des protoépidémies de sida avortèrent plusieurs fois avant la pandémie qui débuta à la fin des années 1950.

Parmi les premiers porteurs du virus, certains étaient particulièrement actifs sexuellement. Leur vagabondage les mettant en contact avec de nombreux partenaires, ils favorisèrent la propagation du virus. Ils devinrent les nœuds d'un réseau hautement connectés. En marketing, on les appelle des *connecteurs*. La densité du réseau qui les entoure leur donne la possibilité de toucher beaucoup de gens. Ce réseau, ils l'ont constitué en étant des passeurs d'information : information virale dans le cas du sida, information tout court dans le cas des blogueurs.

Mais qui crée l'information ? Qui recoupe des faits, les analyse, les remet en forme pour leur donner un sens nouveau ? Dans *The Tipping Point*, livre fondamental sur le marketing viral, Malcolm Gladwell appelle ces créateurs les *mavens*. Ce mot, emprunté au yiddish, signifie « celui qui accumule la connaissance ». En français, on pourrait le traduire par expert, mais je lui préfère initiateur.

Après avoir créé un contenu, un initiateur doit commencer par le faire connaître à quelques connecteurs qui, ensuite, déclencheront la réaction en chaîne. Soit l'initiateur dispose déjà d'un réseau de connecteurs, soit il se sert de quelques outils internet gratuits et à la disposition de tous.

1/ Il envoie son contenu par mail à ses amis, éventuellement à des journalistes dont il récupère les adresses.

2/ Il le publie sur son blog ou sur son site.

3/ Il en parle dans les forums.

4/ Il le diffuse dans son réseau social.

Aujourd'hui, grâce à cette stratégie – adoptée par Étienne Chouard –, un citoyen peut toucher 1 000 personnes en quelques heures. Avec un peu de flair, des dizaines de milliers de personnes sont à portée de clic.

L'effet viral

La graine poussera-t-elle? Il n'y a aucun moyen de le savoir avant d'essayer. Mais si le contenu proposé par l'initiateur est attractif, les connecteurs le redistribueront. Si, dans le panel initialement visé, il y a 10 % de connecteurs et que chacun s'adresse à 1 000 personnes, 100 000 personnes seront informées. Quand 10 % d'entre elles redistribuent le contenu à 1 000 personnes, on se retrouve avec 10 millions d'hommes et femmes sous influence.

Dans ce calcul approximatif, le taux de redistribution de 10 % peut paraître énorme, tout comme l'audience de chacun des connecteurs. Avec un taux et une audience plus faible, il faudra juste davantage de temps pour que le message s'amplifie et touche les grands médias.

Par ailleurs, comme les amis de mes amis sont souvent mes amis, les messages ont tendance à revenir à leurs expéditeurs. À chaque passage, ils prennent plus de poids. Autant une pub télé peut finir par agacer, autant un message internet parvient à convaincre car il revient personnalisé par ses différents expéditeurs. De nouveaux arguments surgissent sans cesse, le rendant vivant et attractif.

Pour beaucoup de publicitaires, habitués aux panneaux 4 x 3 ou aux spots télé négociés à coups de millions d'euros, la fable du marketing viral est trop belle. Ils refusent d'y croire. Pourtant, nous avons une preuve toute simple que ça marche : c'est internet lui-même. Google, Wikipedia, Hotmail – pour ne citer que trois services phares – n'ont jamais été présentés aux médias avant d'avoir du succès.

Aucune publicité ne leur a été faite. Nés du néant, ils ont été consacrés par le buzz.

Lorsque j'ai présenté cet argument sur mon blog, Éric, l'un de mes commentateurs fidèles, m'a écrit :

— Mais il s'agit de services qui contiennent en eux-mêmes leur propre promotion. Plus on les utilise, plus leur visibilité augmente. Par exemple, une petite phrase au bas de chaque message créé par Hotmail invite le destinataire à ouvrir un compte Hotmail.

Je crois que beaucoup de petites phrases circulent, dans les mails comme dans les blogs politiques. Certaines de ces informations «voyagent» avec un manuel d'utilisation. Ces petites phrases sont comme les protéines qui permettent aux virus de se fixer dans les organismes qu'ils attaquent. Le rhétoricien Grégoire Sommer dirait qu'il s'agit de greffer une idée en milieu hostile[24].

Sur internet, pour toucher, il est nécessaire de parcourir les ramifications du réseau. Il est impossible de s'adresser à tous en même temps. La seule solution est de sauter de nœud en nœud, comme un virus sautant de victime en victime. À la façon des premiers pèlerins chrétiens qui passaient leur vie en voyage pour propager la bonne parole, il faut s'appuyer sur les communautés : plus elles sont nombreuses, plus elles sont denses, mieux les messages se propagent.

Dans la nature, les virus les plus dangereux ne sont pas ceux qui tuent rapidement leur hôte mais ceux qui survivent au transit entre deux hôtes. Par analogie, on peut dire qu'un message télé doit agir très vite. Il n'a pas besoin de transiter vers un nouvel hôte puisque pratiquement tous les hôtes possibles sont touchés en même temps.

Un tel message coûte cher à diffuser mais il n'a pas besoin de survivre longtemps. En revanche, sur internet, le message doit être capable de voyager de proche en proche. Si sa diffusion ne coûte presque rien, il doit en revanche posséder un grand pouvoir de persuasion afin d'avoir une chance d'être retransmis. Les messages portés par le buzz nécessitent une grande endurance. Idéalement, les récepteurs doivent se les approprier et les régénérer.

C'est simple, terriblement efficace mais ça ne marche presque jamais. La justesse d'un contenu, politique ou autre, ne peut pas être anticipée. Les connecteurs se mobiliseront-ils ? Se passeront-ils le mot ? La mayonnaise prendra-t-elle ? Personne ne peut le prédire. Mais quand le succès est là, il est foudroyant.

Zidane-Materazzi

Le dimanche 9 juillet 2006 à 23 heures, les projecteurs illuminaient l'Olympiastadion de Berlin. Devant plus de 76 000 spectateurs et environ 1 milliard de téléspectateurs, 10 minutes avant la fin de la prolongation de la finale de la dix-huitième coupe du monde de football, les Français étaient à l'attaque. Zidane entra dans la surface italienne, pris en charge par Materazzi, qui le ceintura. Très vite la défense repoussa le ballon et Zidane remonta le terrain, demandant à Materazzi de cesser de le bousculer.

— Ta gueule, enculé, tu ne reçois que ce que tu mérites, lui répondit en gros l'Italien[25].

Zidane se retourna et lui balança un coup de tête au plexus solaire. Carton rouge, expulsion, Zidane quitta la finale. Déjà entré dans l'histoire comme l'un des meilleurs joueurs de tous les temps, il tirait sa révérence en héros pour les uns, en voyou pour les autres.

Devant sa télé, comme nombre de Français, Samuel Degrémont haussa les épaules. Les tirs au but qui s'ensuivirent furent une punition méritée, la défaite aussi. La vie continuait. Le lendemain, Samuel se rendit à son travail sans songer au match. Ce jour-là, il était débordé. En fin de matinée, il prit tout de même quelques minutes pour regarder une vidéo envoyée par un ami. Materazzi y apparaissait comme un provocateur multirécidiviste.

Après quelques recherches sur *YouTube.com*, Samuel découvrit d'autres vidéos de Materazzi et de l'incident avec Zidane. Il pensa qu'il serait intéressant de les regrouper. En rentrant de déjeuner, il créa, sur la plate-forme WordPress, le blog *materazzi.wordpress.com*, qu'il intitula Materazzi le boucher. À partir de 13 heures 30, il commença à publier des billets dans lesquels il intégrait les vidéos qu'il trouvait. À 16 heures, il signala la création du blog à Guillermo, éditeur de *radical-chic.com*, qui venait de mettre en ligne un billet sur Materazzi. À 17 heures 12, Guillermo en publia un second avec un lien vers le blog de Samuel[26].

Les visiteurs affluèrent, plus de 1 000 avant la fin de la journée : c'était un démarrage en fanfare. En général, personne ne vient sur un nouveau blog, mis à part quelques amis complaisants. Samuel le savait, il était surpris mais pas au bout de ses surprises. Le lendemain, mardi 11 juillet, moins d'une journée après la mise en ligne, *lemonde.fr* repérait le blog et pointait vers lui.

— Nous identifions de plus en plus souvent des influenceurs éphémères, explique Stéphane Guerry, blogueur et consultant chez Euro RSCG C&O [27]. J'entends par là des personnes qui deviennent référentes et leaders d'opinion sur un sujet de manière ponctuelle, en très peu de temps. Elles sont le plus souvent des « experts d'en bas ». Comme elles n'appartiennent pas encore à l'environnement médiatique traditionnel, elles sont perçues comme des sources plus crédibles et légitimes que les médias traditionnels.

Plus de 10 000 visiteurs se présentèrent au cours de la deuxième journée d'existence du blog. Il se hissait déjà dans le top 5 des blogs hébergés par WordPress. C'était tout simplement énorme. La requête « Materazzi » le faisait apparaître en deuxième position sur *yahoo.fr*, en septième sur *google.fr*. Le lendemain, Samuel vit passer 25 000 visiteurs, qui publièrent plus d'un commentaire par minute.

— La messagerie de mon Mac n'arrêtait pas de sonner, dit Samuel. J'étais stupéfait.

Fort de ce succès, il mit son blog aux enchères sur eBay.

— Je n'avais pas le choix, je partais en vacances et je n'allais pas pouvoir me connecter.

Ce jour-là, le trafic faiblit quelque peu, mais avec 21 000 visiteurs, le blog tenait la pole position sur WordPress. Le lendemain, l'audience retomba à 10 000 visiteurs, ce qui n'empêcha pas les enchères eBay de clôturer à un peu plus de 100 euros. Pour Samuel, la partie se terminait. Par jeu, il venait de démontrer qu'en s'appuyant sur l'actualité, il était possible de faire monter très haut, très vite, l'audience d'un site web.

Lorsqu'un blogueur parle d'un sujet à la mode ou provocant, pratiquant la stratégie TF1, il accroît immédiatement son audience. En juillet 2006, des millions d'internautes saisirent des requêtes contenant le nom « Materazzi » sur les moteurs de recherche. Chaque fois, ils étaient dirigés vers les sites où l'on parlait du joueur italien.

À ce moment-là, pour avoir du succès sur le web, il suffisait de parler football. Samuel venait de révéler une nouvelle loi du blog marketing : l'importance de suivre la mode.

En mars 2005, sans le savoir, Étienne Chouard avait employé la même stratégie. Sept mois plus tard, Alex Chan l'imita. Ce jeune homme de 27 ans réalisa *The French Democracy*[28], un film d'animation sur les émeutes des banlieues qui fit le tour du monde et persuada nombre d'étrangers que la révolution avait éclaté en France.

Qui connaissait Alex Chan ? Personne, et pourtant, il communiqua une certaine image de la France chiraquienne dont les services de communication ministériels se seraient bien passés.

Influence sans audience

Si suivre la mode, parler de foot pendant la coupe du monde, de politique pendant une élection, des émeutes pendant la crise des banlieues, donne de l'audience, ce n'est pas pour autant que cette audience se transforme en influence.

Vous pouvez avoir peu d'audience – ou même aucune comme Étienne Chouard en mars 2005 – et devenir rapidement très influent. À l'inverse, TF1 qui, en 1995, touchait des millions de téléspectateurs, ne réussit pas à les influencer en faveur de Balladur lors des présidentielles [29].

Avec la transmission virale d'information à travers les réseaux, un fait nouveau apparaît, qui remet en cause bien des pratiques marketing : l'audience n'a pas beaucoup d'importance par rapport à la connexion génératrice d'influence. Que je n'aie initialement aucun lecteur ou que j'en aie 1 000, voire 100 000, ne change pas grand-chose au final. J'ai plus de chance d'amorcer la pompe s'ils sont nombreux à me lire, c'est tout.

Un blogueur anonyme, sur un coup, peut peser plus que TF1 (d'autant que TF1 finira toujours par parler de lui). Un blogueur ne peut pas égaler TF1 en audience mais des milliers de blogueurs connectés en réseau sont susceptibles de surpasser toutes les télévisions en influence.

La pertinence d'un contenu politique, sa justesse, le moment de sa diffusion détermineront son éventuelle propagation. Personne ne peut prédire s'il engendrera une pandémie. Mais si elle éclate, elle est d'autant plus foudroyante qu'elle touche les communautés d'internautes liés par des affinités profondes.

Il est amusant de voir les partis installés courtiser les blogueurs pour s'attacher leur influence. Ils perdent leur temps car un connecteur – dans ce cas un blogueur avec une bonne audience – n'est rien sans un initiateur qui n'est, à son tour, rien sans une foule de connecteurs. La véritable influence se trouve dans le réseau lui-même. Personne ne peut savoir qui sera le prochain initiateur.

Internet ne se contrôle pas davantage qu'un champ de bataille. Courtiser tel ou tel de ses nœuds ne sert à rien. Il faut les traiter tous d'égal à égal.

Campagne de dénigrement

Mais attention, la blogosphère n'est pas un monde idyllique peuplé d'enfants de chœur. En 2004 aux États-Unis, après le retrait d'Howard Dean, elle révéla une force destructrice.

George Bush, qui avait déjà créé une web TV lors de sa première candidature, envoya à 6 millions d'internautes une vidéo dénigrant John Kerry. Les blogueurs républicains s'acharnèrent contre le démocrate et lui cherchèrent des liaisons scandaleuses.

— La ficelle est grosse mais ça passe et toute la presse relaie la rumeur, écrivaient Stanislas Magniant et Jean-Philippe Clément sur *netpolitique.net*[30]. John Kerry est mis sur la défensive et tout son temps d'antenne est aujourd'hui consacré à répondre à cette nouvelle rumeur scabreuse dont les médias raffolent.

John Kerry répliqua grâce à *moveon.org*. Le site prodémocrate, farouchement opposé à Bush, se lança dans la bataille avec ses 2,5 millions d'adhérents et son trésor de guerre de plusieurs dizaines de millions de dollars. Toutes les armes furent bonnes : le porte-à-porte, le spamming, la pub dans les médias et même un concours de vidéos.

Devenus des stars, les blogueurs participèrent aux meetings politiques, invités au même titre que les journalistes et autant courtisés qu'eux car l'aventure d'Howard Dean avait prouvé que le réseau pouvait faire la différence. Internet était soudain devenu un média à part entière.

Toutefois, personne ne renouvela les prouesses de l'équipe de Dean. La situation avait changé. Lors des primaires, les démocrates se trouvaient face à un scrutin ouvert. Il fallait choisir entre plus de dix candidats et donc débattre. Internet apportait des outils nouveaux, pour rassembler les sympathisants et échanger des idées. Les blogueurs devenaient des acteurs de la démocratie. Les candidats n'étaient pas imposés par le haut mais sélectionnés par la base.

À partir de mars 2004, la donne se transforma : il fallait choisir entre George Bush et John Kerry. Il n'était plus question de débattre d'idées. Les Américains devaient se rallier aux unes ou aux autres. Tous les coups étaient permis. Les blogueurs tombèrent dans le piège du populisme. Pour attirer les internautes, ils donnèrent dans le trash. Je me trouvais à Seattle en 2004 lors de la campagne présidentielle. En surfant, j'avais l'impression de regarder une mauvaise émission de télé-réalité. Les forces rassemblées autour de Dean semblaient s'être volatilisées au profit du spectaculaire.

Depuis cinquante ans, les citoyens se désintéressent de plus en plus de la politique parce qu'elle est devenue négative. Aux États-Unis, les candidats ne prennent la parole que pour dire du mal de leurs adversaires. En France, le dénigrement s'exprime sur les plateaux de télé. Les candidats usent de cette tactique car le non est plus facile à manier que le oui : il fait nettement plus mal et se propage plus loin.

Tous les moyens sont bons. Le plus efficace est l'attaque contre l'homme, l'argument *ad hominem* de la rhétorique. Pour faire trébucher votre adversaire, donnez-lui des noms d'oiseau. Par rapport à la télévision, internet est beaucoup plus propice à l'insulte : les délateurs y disposent d'un espace d'expression illimité.

Cette arme peut être employée par le cinquième pouvoir contre des politiciens et inversement. Sans vouloir être de mauvais augure, je crains qu'internet ne soit de plus en plus un outil de dénigrement. Déjà, je vois les blogueurs s'entre-déchirer pour des raisons mesquines et pourrir les forums adverses avec l'aide de leur communauté. Si cette force négative s'acharnait sur un politicien, elle pourrait être dévastatrice.

Le cinquième pouvoir doit se montrer vigilant : il a une réelle responsabilité. Il a sa place dans la vie politique tant qu'il restera intelligent. S'il se laisse tenter par la gloriole facile qu'offre le dénigrement, il se discréditera. C'est en étant force de proposition que le cinquième pouvoir changera la politique.

Risques de ségrégation

Lorsque j'interviewai le député européen vert Alain Lipietz, il me dit :

— J'espère que vous n'allez pas écrire un énième livre enthousiaste sur internet. Il faut aussi attirer l'attention sur les dérives.

Je viens d'essayer de le faire.

— Si vous êtes Vert, vous allez sur les sites verts, me dit encore Lipietz. Vous ne lisez jamais les arguments de vos adversaires. Lors du TCE, des ennemis jurés militaient pour le non. Ils exposaient des arguments contradictoires sans les confronter.

Ces propos rappellent ceux d'Azi Lev-On et Bernard Manin. Dans leur papier « Que nous réserve le numérique ? » [31], ils écrivirent :

— De nombreuses voix ont ainsi exprimé la crainte qu'internet ne contribue à la désintégration de l'espace public, permettant aux individus de former des communautés virtuelles en fonction de leurs centres d'intérêt ou de leurs opinions, mais les éloignant par là de ceux qui ont d'autres intérêts ou opinions. Internet est alors apparu comme un agent de balkanisation sociale et culturelle, empêchant le rassemblement des esprits autour d'objets communs à tous les citoyens d'une même entité politique.

Je ne suis pas d'accord. Si ces théoriciens avaient raison, le buzz ne fonctionnerait pas, les informations tourneraient en circuit fermé. Or elles se répandent souvent comme une traînée de poudre d'un bout à l'autre d'internet, preuve que toutes les communautés se croisent et se chevauchent.

N'est-ce pas en créant des partis, en s'enfermant dans des chapelles, que l'on se coupe du monde? Internet n'a rien à voir avec cela. Il y a sur internet des gens fermés, des gens ouverts, à l'image de la société dans son ensemble.

Sur les blogs, nous voyons toujours passer des contradicteurs qui nous forcent à défendre nos arguments, à nuancer nos points de vue, à changer d'avis parfois. Ils nous découvrent parce que nous avons parlé de quelque chose qui les préoccupe ou par hasard, au gré d'une recherche incertaine sur un moteur de recherche.

Lipietz appelle à la préservation des journaux généralistes car tous les points de vue y cohabitent. Je ne peux qu'abonder dans son sens, mais cette presse n'a plus beaucoup d'avenir sur le support papier, la publicité se tournant vers d'autres médias. Et pour cause, les Occidentaux passent aujourd'hui plus de temps en ligne qu'à lire les journaux et les magazines [32]. Mais le généralisme et la transversalité existent toujours, plus que jamais même : ils sont promus au rang de business lucratif par les moteurs comme Google, qui cherchent à connecter tout ce qui existe.

Les services d'actualité de ces moteurs [33] affichent un éclectisme plutôt rare dans la presse traditionnelle. Ils mêlent les nouvelles des agences de presse et des journaux citoyens comme Agoravox – eux-mêmes ultragénéralistes puisque tous les citoyens peuvent y publier leurs articles. Le succès grandissant de ces services suffit à démontrer que la théorie de l'enfermement est un épouvantail pour prévenir des dangers d'une nouvelle technologie.

Sur internet, la diversité n'empêche pas le généralisme, elle le favorise au contraire. Le réseau étant complexe, un généraliste y est plus à l'aise qu'un spécialiste car il déchiffre mieux les différentes perspectives qu'il découvre.

Azi Lev-On et Bernard Manin parlent de « l'homophilie », cette tendance que nous avons à nous rapprocher des gens qui nous ressemblent : internet la facilite mais, en même temps, il nous expose à la diversité.

Pour créer une communauté d'intérêt sur le web, vous devez passer par un service spécialisé, par exemple *myspace.com*. Chaque fois que vous l'utilisez, vous croisez d'autres communautés. Il est alors difficile de fermer les yeux sur leur existence, d'autant que le service favorise ces croisements : plus vous découvrez de choses intéressantes, plus vous avez de chances de revenir.

Les croisements sont techniquement inévitables, à cause de la nature même du web, un réseau hautement interconnecté – grâce aux moteurs de recherche notamment. Ils sont par ailleurs une source de revenus et donc d'autant plus souhaitables par tous les acteurs internet.

Ces croisements techniques et économiques luttent contre notre homophilie naturelle. Grâce à internet, nous sommes sans cesse sur le qui-vive. C'est un peu comme lorsqu'un accident se produit. Il force les personnes présentes à sortir de leur bulle, il les pousse les unes vers les autres. L'année dernière, une maison a brûlé près des chez moi : j'ai parlé pour la première fois avec nombre de mes voisins. Sur internet, il y a le feu en permanence, mais un feu créateur et non destructeur.

Il existe par ailleurs des services spécialisés dans le croisement entre courants politiques. J'ai créé *bonVote.com* à cette fin. Le succès immédiat du site confirme que les internautes ne sont pas aussi sectaires que certains le croient. De nombreuses autres expériences transversales sont en cours. Versac a lancé un wiki où sont comparés tous les programmes politiques, des grands comme des petits partis [34].

Si, chez nous, l'homophilie reste forte, internet ne l'a pas créée. La seule façon de la combattre est l'exercice continu de l'esprit critique. On en revient toujours au même point. À l'avenir, toute politique devra favoriser l'éducation, une éducation non pas tournée vers l'accumulation de connaissances mais la recherche et la vérification de ces connaissances.

À ce titre, la maîtrise des outils technologiques est aussi importante que celle des langues et des maths. On doit lui accorder la place qu'elle mérite dans les programmes scolaires. Elle constitue un savoir pratique, indispensable à tous ceux qui veulent s'épanouir dans notre culture.

LA LONGUE TRAÎNE

Comment gagner les prochaines élections

Qui dit être mal représenté politiquement dit être mal servi socialement.

Loïc Blondiaux [1]

Le 10 mai 1996, à 13 heures 12, Jon Krakauer termine l'ascension du mont Everest. «Chevauchant le sommet du monde, un pied en Chine un autre au Népal, je chassais la glace de mon masque à oxygène, opposais mes épaules au vent et observais sans penser l'immensité du Tibet [2]. »

Jon photographie Anatoli Boukreev, l'un des plus grands alpinistes de tous les temps, qui l'a devancé de quelques minutes, sans bouteille d'oxygène. Il photographie aussi le guide néo-zélandais Andy Harris qui vient de les rejoindre.

Il est maintenant 13 heures 17, il faut redescendre. Sur la crête sud-est, une vingtaine d'alpinistes progressent encore. Au sud, une épaisse couche nuageuse se forme dans le ciel, par ailleurs d'un bleu limpide et glacial.

Personne ne semble s'apercevoir qu'une terrible tempête menace. Le long des Hillary Steps, dernière difficulté avant la délivrance, c'est l'embouteillage. Les alpinistes amateurs et leurs guides se bloquent mutuellement. Jon interrompt sa descente pour les laisser passer. Comme il ne fait plus d'effort, un compagnon lui ferme son arrivée d'oxygène.

Jon ne s'en trouve pas plus mal. Après tout, Anatoli Boukreev a escaladé sans assistance. Au moment de se remettre en route, alors que les nuages moutonnent de plus en plus, Jon comprend pourquoi il ne souffre pas de l'altitude : l'oxygène n'a pas été fermé mais ouvert à fond... il ne lui en reste pratiquement plus.

Une petite erreur, une autre, une accumulation d'erreurs causées par la fatigue, le froid et la tourmente conduisent au drame. Huit alpinistes trouvent la mort, dont Andy Harris, qui accompagnait Jon au sommet. Sans prévenir, la tempête balaye les hommes, leur démontrant que l'ascension du plus haut sommet du monde n'est pas une simple étape touristique.

Jon regagne le camp numéro quatre dans un épuisement extrême, au bord de l'asphyxie, victime d'hallucinations à cause du manque d'oxygène. Anatoli Boukreev, informé du désastre, repart vers le sommet dans l'espoir de secourir ses amis. La nuit est tombée, la température s'effondre, il est trop tard.

Jon était venu au Népal escalader l'Everest dans le but d'écrire un reportage pour *Outside Magazine*. De retour à Seattle, en état de choc, il ne parvint à faire taire ses cauchemars qu'en relatant son aventure dans un livre somptueux : *Into Thin Air*.

J'ai lu ce texte en une nuit, ressentant seconde après seconde la souffrance et l'horreur des alpinistes. J'ai découvert en même temps l'un des plus grands écrivains de notre époque dont, plus tard, chaque livre me laissera étourdi.

Aux États-Unis, à sa sortie en 1997, le livre devint un best-seller. À cette époque, Amazon était déjà le plus gros libraire au monde et *Into Thin Air* se classa parmi ses meilleures ventes. Quelques lecteurs publièrent des critiques du livre, le comparant à *Touching the Void*, un obscur récit d'alpinisme publié en 1988, pratiquement épuisé, qui avait disparu des rayons des libraires traditionnels depuis des années.

Amazon vit peu à peu les ventes de *Touching the Void* augmenter, puis rapidement dépasser celles du livre de Krakauer. Un récit oublié, méconnu, était en train de devenir un best-seller grâce à quelques conseils de lecteurs publiés sur internet.

Vendre moins de plus

Chris Anderson, le rédacteur en chef de *Wired*, analyse ce phénomène dans son essai *The Long Tail* [3]. Aujourd'hui, les produits qui n'ont plus leur place dans la distribution traditionnelle continuent leur vie sur le web. Chez Amazon, 25 % des livres vendus ne sont pas disponibles en librairie. Des produits soi-disant morts renaissent. Pour Chris Anderson, sous l'impulsion des technologies de communication, nous assistons à l'émergence d'une nouvelle forme de culture mêlant grand public et underground.

Pour se convaincre de ce changement, il faut comparer la distribution traditionnelle à la nouvelle distribution on line. Dans les grandes surfaces, les rayonnages limitent le nombre de produits en stock. Dans une Fnac, par exemple, il y a 10 000 livres alors que sur le site de la Fnac il y en a plus de 1 million.

Les magasins réservent leurs rayons aux références qui se vendent le mieux, c'est-à-dire à la culture de masse. Dès que les ventes baissent, les produits sont remplacés au profit d'autres potentiellement plus rentables. Ainsi, un nouveau livre ne reste en vente que quelques semaines – certains même ne sont jamais référencés.

Cette logique de distribution s'apparente à celle de la médiatisation télévisuelle. La bande passante de la télé étant limitée, seulement quelques produits sont cités, ceux qui vont faire de grosses ventes. Tout le reste est passé sous silence. Nous sommes dans une logique capitaliste pure : les produits qui ne sont pas rentables sont irrémédiablement supprimés.

Sur internet en revanche, les rayonnages des boutiques sont infinis. Tout ce qui existe peut être vendu. Amazon propose même des livres épuisés imprimés à la demande. Cette formidable augmentation de l'offre conduit à un phénomène étrange : tous les produits au catalogue, même les plus exotiques, se vendent à quelques exemplaires chaque année. Leur cycle de vie ne s'achève plus au bout d'une dizaine de semaines.

Si on classe les produits par popularité et que l'on indique les ventes de chacun, on obtient une courbe qui ressemble à la traîne d'une robe de mariée (fig. 7.1). Aussi loin que l'on prolonge la courbe, elle ne rejoint jamais tout à fait zéro. Les statisticiens l'appellent une longue traîne, *a long tail* en anglais, d'où le titre du livre de Chris Anderson.

Cette longue traîne s'observe chez tous les vendeurs en ligne, qu'ils proposent des livres, des disques, des DVD, des jouets comme chez Lego ou même des produits d'électro-ménager comme chez Kitchenaid. Le changement est radical : les consommateurs ne se comportent plus comme des moutons. « L'époque où une seule taille allait à tout le monde se termine et fait place à quelque chose de neuf, un marché de la multitude », écrit Anderson.

En même temps que la longue traîne se développe, les best-sellers se vendent moins. Anderson remarque que la série télé la plus populaire aujourd'hui n'aurait pas eu sa place dans le top 10 des années 1970. Une courbe qu'il publie montre que le nombre de disques d'or vendus chaque année a augmenté jusqu'en 2002 avant de redes-cendre au moment où se lançaient les vendeurs en ligne comme iTunes (fig. 7.1).

Le téléchargement illicite n'y est pas pour grand-chose. Les majors commencent à le comprendre après avoir fait – en vain – la guerre aux pirates. Nous assistons à une reconfiguration du marché qui impose de nouvelles approches marketing : aujourd'hui, on vend plus qu'avant, mais pas les mêmes choses.

La loi du plus faible

Plus le choix augmente, plus les consommateurs se dispersent. Il y a toujours des best-sellers, ils constituent en quelque sorte notre culture commune, mais ils sont moins nombreux et moins *successful*. « Si, au XXe siècle, l'industrie du divertissement a été une question de tubes, celle du XXIe siècle sera aussi une question de niches », écrit Chris Anderson.

L'offre se fractionne en sous-marchés, à leur tour subdivisés en sous-marchés. La musique pop se divise ainsi en genres : punk, disco, soul, groove... Le punk se décline en anarcho punk, dirty punk, hardcore, street punk... Chaque niche commerciale dispose d'une longue traîne avec ses tubes et ses titres méconnus.

Le consommateur navigue dans la longue traîne grâce aux aides à l'achat qui fleurissent sur le web. Quand un lecteur critique un livre sur Amazon en mentionnant d'autres livres, il nous incite souvent à explorer la longue traîne, à la descendre dans une direction à laquelle nous n'aurions jamais songé.

Le cinquième pouvoir entre en jeu à ce niveau. Les citoyens se conseillent les uns les autres, ils parasitent les messages médiatiques traditionnels, imposant de nouvelles grilles de lecture. Plus ils parlent fort, plus ils dialoguent, plus ils participent, plus le marché se modifie et moins les best-sellers se vendent. En contrepartie, la longue traîne s'épaissit. La pluralité des voix transforme la consommation, donc la culture.

Le cinquième pouvoir participe à cette évolution également à son insu. Les sites marchands analysent les produits que nous consultons et achetons. Quand nous nous intéressons à un article, Amazon nous en suggère d'autres fréquemment achetés par les clients ayant des centres d'intérêt proches des nôtres.

Si nous commandons *Into Thin Air*, Amazon nous proposera peut-être un bundle avec *Touching the Void*. En éveillant notre curiosité, Amazon nous entraîne dans la niche de l'alpinisme ou du récit d'aventure. Et plus nous nous laissons tenter, plus les produits qui ne se vendaient pas par le passé pèsent dans les chiffres d'affaires des vendeurs web.

Les systèmes d'aide à l'achat, qu'ils soient automatiques ou reposent sur les conseils des internautes, ne nous emprisonnent jamais dans une niche. Des passerelles s'ouvrent, qui nous poussent dans des directions imprévues, nous donnant envie d'acheter des produits dont nous n'avions pas idée. C'est une façon de nous faire consommer plus – mais moins de tubes.

Anderson remarque que les jeunes Américains, qui achètent de plus en plus en ligne, possèdent une culture beaucoup plus éclectique que celle de leurs parents. Par le passé, très peu de gens avaient les moyens d'être underground. Souvent, ils n'avaient ni le temps d'explorer des domaines inconnus ni l'argent pour des achats «risqués». Ils préféraient se tourner vers les valeurs sûres.

Aujourd'hui, nous nous trouvons dans une situation différente. Explorer les niches grâce aux aides à l'achat ne nous prend pas de temps et nous pouvons tester les produits avant de les acheter. « Si on leur donne le choix entre acheter le disque d'un boy's band ou quelque chose d'original, de plus en plus de gens préfèrent explorer l'inconnu, et ils sont souvent très satisfaits par ce qu'ils trouvent », explique Anderson.

L'acheteur n'étant plus informé uniquement par les médias traditionnels, il obéit moins souvent à leurs commandements. Il s'éloigne des best-sellers vers les niches qui lui conviennent mieux. À mon sens, l'apparition des longues traînes est un signe de démocratisation de la société : les citoyens sont davantage maîtres de leurs choix.

On observe également cette démocratisation du côté des auteurs et des éditeurs. Les marchands, ayant intérêt à proposer une traîne de plus en plus longue, référencent une grande quantité de produits dans leur catalogue. Le ticket d'entrée n'a jamais été aussi bon marché pour les candidats à la publication – donc à l'expression, qu'elle soit citoyenne ou artistique. Par exemple, nous pouvons tous publier des livres sur *lulu.fr* sans passer un comité éditorial.

Ceux qui ne bénéficient pas du support d'une major commencent leur carrière à la traîne mais ont la possibilité, par sauts successifs, de rejoindre la pole position. Le marché s'est ouvert. Les grands groupes commerciaux n'en ont plus le monopole. Le cinquième pouvoir est en train de s'émanciper de leur influence.

En même temps, la course à la rentabilité n'est plus une obligation, pour les auteurs comme pour les éditeurs. Ils ont le droit de rester petits, de ne pas poursuivre le succès à tout prix, de refuser la logique de croissance et le modèle capitaliste qui est le nôtre depuis deux siècles.

En réalité, avant l'époque médiatique, les longues traînes dominaient le marché. Dans chaque ville, on trouvait des produits différents. Il y avait peu – voire pas – de best-sellers. Mais quand les coûts des transports baissèrent et que les médias se développèrent, les produits se standardisèrent peu à peu : l'offre globale se réduisit. La grande époque du capitalisme correspond donc à une rareté de l'offre : peu de produits mais tous disponibles en quantité.

Cette époque touche à sa fin. Nous entrons dans l'âge de la diversité, une diversité proposée par une myriade de petites structures. La globalisation ne correspond pas à une concentration des moyens mais à un élargissement de l'offre.

Le libéralisme sur internet – le droit pour chacun d'entrer dans une longue traîne – ne s'apparente pas à la loi du plus fort. Il y a de la place pour tous dans tous les domaines. Certes, nous ne pouvons pas tous occuper le top 100 mais nous avons la possibilité d'y accéder. Le cinquième pouvoir se construit et s'appuie sur cette possibilité.

Comme il y avait les exclus du marché capitaliste, il y aura aussi les exclus de la longue traîne. Mais l'ouverture laisse supposer qu'ils seront moins nombreux, surtout si nous nous efforçons de vulgariser les nouvelles technologies. Internet ne nous mène pas vers un monde idéal mais vers un monde sans doute moins compétitif et plus collaboratif.

Je me suis alors demandé si un phénomène de longue traîne n'était pas en train de naître en politique. Si c'était le cas, ce serait une chance fantastique pour la démocratie.

La longue traîne politique

Les médias ne s'intéressent qu'à un nombre de candidats limité, ceux dont ils peuvent parler, ceux qu'ils peuvent « mettre en rayon ». Le modèle du bipartisme à l'américaine est un idéal. Lorsqu'ils commanditent des sondages, ils les restreignent aux vedettes. La politique devient un match de boxe. De fait, presque personne ne se présente sans le support d'un parti, lui-même doté d'un service de relations presse capable d'amadouer les médias.

Avec internet, cette limite de la bande passante saute. Toutes les femmes et tous les hommes qui ont envie de s'engager en politique peuvent tenter de se faire connaître via le web. En multipliant l'offre politique, ils risquent de faire apparaître une longue traîne. Pour que cela se produise, deux conditions sont nécessaires.

1/ Les best-sellers doivent vendre de moins en moins : les candidats « officiels » doivent récolter de moins en moins de voix.

2/ L'offre doit s'élargir : il doit y avoir de plus en plus de candidats.

Je me suis alors amusé à transposer le raisonnement de Chris Anderson. Tout d'abord, les best-sellers politiques vendent-ils de moins en moins ? Pour m'en assurer, j'ai tracé la courbe du nombre de suffrages récoltés au premier tour des élections présidentielles françaises par les deux candidats présents au second tour.

Sur cette courbe, j'ai découvert que ces best-sellers politiques récoltent de moins en moins de voix (malgré l'augmentation de la population). La même tendance s'accentue quand j'analyse le pourcentage des suffrages exprimés (fig. 7.2). En 1965, de Gaulle et Mitterrand récoltèrent 76 % des suffrages, contre 36 % seulement pour Chirac et Le Pen en 2002 !

En revanche, les petits candidats récoltent plus de voix. Cela démontre un affaiblissement des grands partis, incapables de rassembler dès le premier tour, mais aussi la coexistence de plusieurs lignes politiques, ce qui est bon pour la démocratie. La première condition nécessaire à l'apparition d'une longue traîne est donc remplie.

Je me suis alors intéressé à la seconde. J'ai constaté que le nombre de candidats présents à chaque élection s'accroît : six en 1996, seize en 2002. L'offre politique s'élargit, ce qui explique la baisse du nombre de voix récoltées au premier tour par les vedettes. La seconde condition est, elle aussi, remplie, même si on est encore loin de compter les candidats par dizaines de milliers.

La politique se transforme, comme la distribution. Des niches électorales apparaissent ; chacune reçoit des suffrages. Nous assistons à une maturation de la démocratie. De plus en plus de candidats peuvent exprimer des idées complémentaires ou divergentes. La traîne politique s'allonge.

Maintenant qu'internet et les blogs réduisent le prix à payer afin d'accéder à la notoriété, les petits candidats sont de plus en plus nombreux – plus de 35 déclarés début décembre 2006 pour l'élection présidentielle de 2007. Hormis des mesures d'intimidation, je ne vois pas ce qui pourrait empêcher la longue traîne politique de s'étendre.

Rien ne prouve que ce sera le cas dès 2007, surtout après la dispersion électorale survenue en 2002, mais à terme une longue traîne politique devrait se former. Il faudra suivre les prochaines élections, notamment locales, et faire les comptes. Mais je pense que, si le cinquième pouvoir existe, il transparaîtra dans l'élargissement de l'offre politique, même si cette offre n'a pas nécessairement pour vocation d'affirmer sa présence lors des élections.

Déjà, l'arrivée d'une concurrence de plus en plus nombreuse inquiète les grands partis qui appellent parfois au boycott des petits candidats et exerce des pressions sur les maires pour qu'ils n'accordent pas leur signature à «n'importe qui». D'un autre côté, le président du groupe UMP à l'Assemblée, Bernard Accoyer[4], s'est exclamé :

— Pour la santé de la démocratie, il vaut mieux que Le Pen soit présent au premier tour. Accorder son parrainage est une liberté fondamentale de tout élu et ne signifie en aucune façon soutenir les idées de tel ou tel candidat.

J'espère qu'il sera entendu, que tous les candidats, et pas seulement Le Pen, auront le droit de participer au débat démocratique. Pourvu que la démocratie ne soit pas confisquée.

2002 : l'élection décisive

Une fois les conditions nécessaires à l'apparition d'une longue traîne remplies, il faut étudier les scrutins pour essayer d'aller plus loin. Je me suis amusé à comparer les élections présidentielles françaises de la cinquième République (fig. 7.3). Pour chacune, j'ai tracé une courbe représentant la distribution des voix entre les candidats du premier tour.

De 1965 à 1995, aucune des courbes ne ressemble à une longue traîne. En 1974 et en 1981, on pourrait le croire au premier regard mais, en fait, il y a tout un groupe de petits candidats qui ne reçoivent pratiquement aucun suffrage. Ils ne comptent pas. En 1988, on s'en approche vaguement mais la meilleure approximation reste une droite, tout comme en 1995.

En revanche, lorsque je compare la distribution entre 1995 et 2002, je découvre un changement radical (fig. 7.4). En 1995, toujours avant l'ère internet, la distribution est linéaire. Très vite, la droite rejoint zéro. S'il y avait eu plus de candidats, ils n'auraient récolté aucun suffrage.

En 2002, avec seize candidats, la courbe suit une longue traîne caractéristique d'un marché où l'on «vote moins de plus». Elle est approximative, je la devine plus qu'elle n'existe vraiment[5], mais je trouve intéressant de la voir poindre là où on ne l'attendait pas forcément.

Lors des présidentielles de 1974, nous avions aussi beaucoup de candidats. Mais sur les douze en lice, six récoltèrent moins de 1 % des suffrages. À cette époque, la longue traîne n'était pas ouverte. Ce fut tout le contraire en 2002 : seul un candidat sur seize fait moins de 1 %.

Beaucoup d'analystes virent, lors de cette élection, la montée en puissance des extrémismes : j'y vois au contraire une victoire de la démocratie. Plutôt que d'obéir aux diktats des médias dominants, mettant en avant les vedettes, les Français s'influencèrent les uns les autres. Comme sur les sites de e-commerce, ils s'encouragèrent à descendre la longue traîne à la recherche de candidats répondant mieux à leurs attentes. L'apparition de cette longue traîne démontre que les Français participèrent activement à la campagne électorale. S'ils ne s'étaient pas mobilisés, les petits candidats auraient récolté moins de 1 % des suffrages, comme en 1974.

Les véritables idées des Français s'exprimèrent alors. Si elles nous déplaisent, nous devons nous demander ce qui ne va pas dans notre pays et non chercher à les censurer. En démocratie, chacun a le droit et même le devoir de s'exprimer. Nous n'éviterons pas les dérives extrémistes en nous voilant la face. La transparence est essentielle : sans elle, il n'y a pas de débat public.

L'oligarchie résistera-t-elle ?

Malheureusement, je crains que les grands partis n'essaient de se protéger. Un peu comme les majors de la musique, par tous les moyens, ils chercheront à refermer la longue traîne, à revenir à une courbe linéaire. Par exemple, ils proposeront d'augmenter le nombre de signatures nécessaires pour se présenter – il en fallait 100 jusqu'en 1974, 500 depuis. J'espère que les citoyens du cinquième pouvoir seront vigilants et prêts à défendre le droit d'accès pour tous à la vie politique.

D'ailleurs, cette histoire de 500 signatures est un pied de nez à la démocratie. Lorsque les gens au pouvoir offrent les clés de ce même pouvoir à d'autres, nous ne sommes pas dans une démocratie mais dans une oligarchie. En réalité, nous n'avons jamais vécu en démocratie. La noblesse de cour a été remplacée par une noblesse de parti qui tente – et tentera – de préserver ses privilèges. Plutôt que 500 signatures d'élus, il serait sans doute plus démocratique d'exiger, par exemple, 20 000 signatures de citoyens[6].

Je ne vois pas en quoi un élu est davantage digne de confiance que n'importe lequel d'entre nous. Je crois même qu'il n'y a pas plus de vauriens dans la vie civile que dans la vie politique. Si l'on compare l'une et l'autre, la proportion d'inculpés ne doit guère différer.

Il existe même une solution toute simple pour s'affranchir des signatures : ajouter un troisième, voire un quatrième tour lors des élections. Le premier serait ouvert à tous, le deuxième opposerait les quinze meilleurs, le troisième verrait les deux favoris s'affronter.

Peu importe la méthode choisie à l'avenir pour départager les candidats, elle ne devra pas refermer la longue traîne mais, au contraire, l'ouvrir davantage.

Cette ouverture signe la fin des privilèges des grands partis. Comme l'a démontré Étienne Chouard, chaque citoyen peut désormais sortir du rang. Nous n'avons pas besoin de béquille autre que les réseaux informels auxquels nous sommes connectés. Notre société pyramidale est en train de s'aplatir. En quelques jours, un anonyme a la possibilité de devenir une star du monde

politique. Il n'a pas besoin d'appartenir à un parti struc-
turé hiérarchiquement.

Même si cette nouvelle forme d'ascension politique fait
peur, je crois qu'elle est une chance pour la démocratie. Des
personnalités avec des idées neuves peuvent atteindre le
pouvoir avant que sa quête ne les prive de leur vitalité.

En théorie, un dictateur potentiel pourra lui aussi s'emparer du pouvoir avant que sa perversion ne soit mise en
évidence. C'est vrai, mais le système des partis n'a jamais
empêché les autocrates de prendre les commandes – Hitler
par exemple. Au contraire. La structure pyramidale propre
aux organisations traditionnelles facilite la prise de
contrôle car il suffit de verrouiller quelques nœuds straté-
giques. En l'absence d'une telle structure, face à un réseau,
l'apprenti dictateur a bien du mal à s'imposer. Pour l'emporter, il doit être un libéral dans l'âme, un poisson à son
aise dans les réseaux.

Cependant, un libéral grisé par le pouvoir peut devenir
un tortionnaire, qu'il soit un élu issu de la longue traîne ou
d'un grand parti. Le désir de bien faire – de conformer la
société à ses désirs de plus en plus mégalomanes – peut lui
dicter des mesures autoritaires, le poussant à installer un
régime policier, premier pas vers la dictature.

À ce moment, il s'efforcera de couper les ramifications
des réseaux, tentera de simplifier nos interactions pour
réduire la complexité de la société et la rendre plus contrô-
lable. Internet sera placé sous tutelle gouvernementale.

Mais jusqu'où le verrouiller ? Jusqu'où réduire la liberté
d'expression ? La Chine se trouve face à cette interrogation.

Fermer le réseau, c'est se couper de l'économie mondiale : impensable. Alors il faut laisser la plupart des portes ouvertes ; mais par ces portes la liberté se glisse, s'amplifie, devient irrésistible. Tous les internautes chinois connaissent l'existence de logiciels comme Tor [7], qui permettent de contourner les systèmes de censure.

Soit le réseau fonctionne et la liberté finira forcément par l'emporter, soit il est coupé et le pays ne peut que connaître une récession irréversible. Dans un monde de plus en plus interconnecté, la dictature est de moins en moins probable. Elle ne pourrait s'installer qu'en sacrifiant le progrès technologique, peut-être sous l'impulsion de quelques extrémistes.

L'ascenseur politique

L'apparition d'une longue traîne dans le domaine du divertissement démontre qu'internet change en profondeur notre culture, et donc la société. Lorsque nous avons la possibilité de laisser libre cours à notre curiosité, elle nous pousse hors des chemins tracés par les entreprises monopolistiques. Plutôt que de consommer du tube, nous choisissons ce qui correspond à nos goûts.

En même temps que notre culture s'élargit, que nous nous différencions de plus en plus les uns des autres, il devient très difficile de nous ranger dans des cases. Nous-mêmes avons davantage de mal à nous identifier à des catégories étiquetées par les spécialistes du marketing.

À la fin des années 1970, des adolescents pouvaient se dire punks. Aujourd'hui, ceux qui accèdent à la culture internet n'ont plus la possibilité de se définir aussi simplement, aussi pratiquement. Ils deviennent des citoyens du monde, plus étrangers que jamais à la politique spectacle encore diffusée à la télévision. Ils ne se sont ni de droite ni de gauche, encore moins PS ou UMP. Et naturellement, ils ont envie que le choix politique reflète les préoccupations qui leur sont propres, donc qu'il s'élargisse.

La longue traîne politique n'est pas prête de s'interrompre, à moins que quelques potentats ne viennent l'étrangler. Elle est une chance pour chacun d'entre nous. Comme elle est ouverte à son extrémité, que nous pouvons y embarquer dans l'anonymat, elle est un fantastique ascenseur social. Les jeunes, de plus en plus adeptes des nouvelles technologies, peuvent se positionner à la traîne de la traîne puis, en activant leurs communautés, glisser vers le sommet.

Certes, comme l'Everest, tout le monde ne l'atteindra pas, mais la voie est ouverte, et c'est une première. À l'avenir, les élections nous réserveront de réelles surprises. Il n'y aura plus de petits candidats mais une multitude d'alpinistes qui essaieront d'escalader la longue traîne. Ils créeront des réseaux de sites et feront remonter leurs sites le long de la traîne de la blogosphère politique (fig. 7.5). Quand ils approcheront du point d'inflexion de la courbe, les médias traditionnels parleront d'eux, leur donnant peut-être le coup de pouce nécessaire pour arracher la victoire.

Nous ne serons plus jamais à l'abri d'une surprise. En France, une équipe de campagne peut toucher 30 % des internautes avec une vidéo et des blogs[8], soit presque 10 millions de citoyens. Si elle en convertit 50 % à sa cause, elle récolte assez de voix pour mener son candidat, outsider ou non, au second tour d'une présidentielle. C'est un calcul encore une fois rapide mais qui démontre que la politique est dorénavant ouverte à tous.

Nous revenons à un temps dominé par l'incertitude politique, un temps de prise de risque et d'innovation. Nous vivons dans un monde en constante transformation. Ce qui ne change pas a tendance à péricliter. Pour survivre, un parti doit se métamorphoser sans cesse au détriment de ses cadres figés dans de vieilles habitudes.

Ce renouvellement constant, en tout cas prévisible de la classe politique, fait voler les sondages en éclats. Les instituts d'études raisonnent encore comme lorsque les choix étaient limités : en ne tenant pas compte de la longue traîne, en ne considérant que les grands candidats, ils décrivent une situation politique irréelle. Par ailleurs, leur panel d'analyse étant représentatif de l'ensemble des Français, ils sont incapables de mettre en évidence les niches électorales, véritable vivier de la politique moderne.

Et les médias, avides de simplifications, continuent à brandir ces sondages absurdes, essayant de maintenir en vie encore quelque temps un modèle dominé par la rareté de l'offre. N'ayant pas, sur leurs ondes, la place pour décrire la diversité, ils s'acharnent dans cette voie. De fait, ils montrent un faux visage de la politique, manipulant involontairement l'opinion. Je pense que plus ils passent la longue traîne sous silence, plus ils agacent les citoyens, plus ils les incitent à se tourner vers les candidats « invisibles ».

Un programme politique est un produit

Le 17 avril 2006, j'ai reçu un mail qui commençait par : « Enfin la génération internet au pouvoir en 2007 ». Je l'ai d'abord supprimé, puis je me suis ravisé, comme si mon inconscient m'avait alerté. Le mail présentait Rachid Nekkaz, futur candidat à l'élection présidentielle.

J'ai visité son site [9], je me suis dit que ce n'était pas gagné, que le programme était farfelu et incohérent, mais j'ai tout de même envoyé un mail à Rachid Nekkaz. Il m'a aussitôt répondu, nous avons convenu d'un rendez-vous pour le lendemain dans un café près des Champs-Élysées.

Je me suis retrouvé en face d'un séducteur de 34 ans. Il m'a raconté sa vie, ses rencontres avec tous les chefs d'État du G8, notamment le plus impressionnant, Bill Clinton. Nekkaz avait du charisme, de l'aura, une présence physique étonnante. Je me suis dit qu'il était fou mais qu'il était fait pour la politique.

Nous avons pris l'habitude de nous rencontrer de temps en temps, nous sommes devenus amis ; je lui ai présenté des amis, nous avons passé des soirées à refaire le monde et à parler de son projet de devenir le dernier président de la République française, sa première décision étant, une fois élu, de supprimer cette fonction « Ancien Régime ».

Le 29 juin, par une soirée torride, nous avons discuté stratégie marketing et escalade de la longue traîne. En 2002, Le Pen avait atteint le second tour avec seulement avec 16,86 % des suffrages. Si le nombre de candidats continuait de s'accroître à l'avenir, il suffirait sans doute de 15 % ou 14 % pour accéder au second tour.

Ce soir-là, François Collet, l'initiateur du réseau freemen, portait sa casquette de patron d'agence de communication[10]. Sa spécialité, c'est le marketing de niche : comment faire connaître un produit grâce au buzz internet sans jamais passer par les grands médias. À son tableau de chasse s'alignent de nombreux succès, notamment l'ascension vertigineuse de MSN Messenger en France.

Sa tactique favorite : donner aux fans d'un produit méconnu les moyens de le faire connaître à d'autres. Motivés, ils prendront en charge le travail promotionnel, bien mieux que n'importe quelle agence de pub traditionnelle. Et ça marche. Alors François suggéra à Rachid la même tactique.

— Pour gagner les élections, il ne faut pas séduire 100 % des Français, pas même 51 %, mais juste 15 %, soit un peu moins de 4,5 millions. Et pour commencer, il te faut cibler encore plus, atteindre vraiment ton cœur de cible, peut-être pas plus de 1 000 personnes qui amorceront elles-mêmes la réaction en chaîne.

Pour un spécialiste du marketing, l'objectif de 4,5 millions de citoyens n'est pas énorme. En quelques mois, un produit que presque personne ne connaît peut séduire des millions de clients. Ce fut le cas pour MSN

Messenger, rapidement adopté par tous les adolescents français branchés sur internet.

— Rachid, tu es dans la même situation, dit François. Tu peux gagner si tu adoptes la bonne tactique, une tactique que les grands partis seront incapables de suivre. Pour être élu, tu ne dois pas t'adresser à toute la population avec un discours populiste et œcuménique mais cibler une fraction de cette population grâce à un discours audacieux.

Selon François, il fallait écrire un programme choc, un programme fou. S'adresser aux jeunes de 18 à 30 ans par exemple, parler leur langage, ignorer volontairement tout le reste de la population en ne s'occupant que d'eux.

Rachid avait beau être à la traîne de la longue traîne ce discours purement tactique le choqua. Il voulait changer la France, il voulait que tous les Français se mettent debout et marchent à nouveau.

— Alors tu perdras, lui dit François. Pour s'adresser à tous les Français, les grands partis seront toujours plus forts que toi.

En fait, la tactique suggérée par François était déjà exploitée. En 2002, tout au long de sa campagne, Le Pen cibla les nationalistes à tendance xénophobe. Grâce à eux, il gagna suffisamment de voix pour accéder au second tour.

Pendant ce temps, Lionel Jospin et le PS préférèrent un marketing de masse avec un programme élaboré pour plaire à tous. Mais ce marketing ne fonctionne plus. Les politiques doivent devenir des audacieux, des révolution-naires d'une certaine façon. À une époque de longue traîne, le marketing de niche est le plus efficace, en tout cas lors du premier tour, passage obligé dans une vraie démocratie.

Nous arrivons à un paradoxe. D'un côté, l'apparition de la longue traîne est un signe de démocratisation. De l'autre, elle implique que les adversaires présents au second tour reflètent de moins en moins la majorité des Français. Au final, Jacques Chirac ne représentait que 19,88 % d'entre eux.

Que faire alors ? Si on referme la traîne, on bride la démocratie. En ne laissant se présenter que les membres des grands partis, on va à l'encontre de la plus grande liberté de choix. Mais si on laisse la traîne s'épanouir, les élus ne représentent plus que des minorités.

Il me paraît difficile de contrer cet argument en considérant les voix du second tour comme représentatives. Dans une situation de choix limité, surtout après avoir connu la profusion, on vote souvent pour le moins pire des candidats. Si les votes blancs étaient comptabilisés, nos présidents seraient rarement élus avec la majorité absolue.

Parce que, pour cause de longue traîne, nous vivons dans un monde de plus en plus démocratique, nous devons repenser la démocratie – et la république, ne jouons pas sur les mots. Le système représentatif est obsolète car chercher à séduire le plus grand nombre n'est plus le meilleur moyen d'être élu. Avec un marketing de niche, un candidat a des chances de gagner une élection. Comme un produit, un programme politique peut être conçu pour une audience ciblée. L'homme politique devient un VRP spécialiste d'une niche électorale, et la démocratie représentative un marché.

Quand surgit la diversité, le plus grand nombre n'existe tout simplement plus. Il n'a de légitimité que dans une société simple, où les gens se répartissent en deux ou trois courants majoritaires.

De tout temps, des tendances marginales ont existé, mais aujourd'hui, certaines d'entre elles le deviennent de moins en moins, grâce aux blogs notamment. En remontant la longue traîne, elles démontrent que notre société n'est pas aussi simple que tentent de nous le faire croire les politiciens populistes.

En 1995, encore simpliste, la politique fonctionnait à l'ancienne. En 2002, elle avait changé, c'était une politique propre à l'âge de l'abondance. Entre ces deux dates, une révolution avait eu lieu : internet s'était popularisé, et le web 2.0 naissait. Il n'influença pas immédiatement les Français, c'était trop tôt, mais un nouvel état d'esprit se faisait jour.

Il ne faut pas tirer de grandes conclusions philosophiques de ces petits jeux mathématiques. J'en déduis juste que notre monde change et que les nouvelles méthodes politiques doivent s'adapter à la complexité.

Les démocraties se portent bien. Depuis les années 1950, leur nombre dans le monde a quadruplé [11]. Mais la démocratie représentative est en crise car elle n'a pas pris en compte le cinquième pouvoir. Il faut la moderniser si nous voulons qu'elle survive.

CHAPITRE 8

POLITIQUE 2.0

Vers un nouvel art de vivre ensemble

Il faut une science politique nouvelle à un monde tout nouveau.

Alexis de Tocqueville [1]

Après avoir raconté le cinquième pouvoir et déchiffré ses mécanismes, je voudrais finir en esquissant un projet que pourrait s'approprier ce nouveau pouvoir, une sorte de programme politique Open Source, qui ne serait porté par aucun parti en particulier mais par un ensemble de réseaux traversant tous les partis et la société dans son ensemble.

Une charte pour la Terre naît en ce moment même un peu partout dans la blogosphère, sur Agoravox, dans les forums... Elle transparaît au travers du *Pacte écologique* proposé par Nicolas Hulot [2]. Beaucoup de gens sentent que nous n'avons pas d'autre choix que d'adapter nos modes de vie et d'organisation au nouvel état du monde. J'en fais partie comme toutes les forces éparses du cinquième pouvoir. Avec nos textes et nos commentaires, nous ne cessons d'imaginer cette charte universelle des hommes du XXIᵉ siècle. Je voudrais en donner ma vision.

Elle s'est construite au fil de lectures et de conversations. Mais c'est grâce à Freddy Mallet[3], l'un des commentateurs de mon blog, que je lui ai donné une assise pragmatique. En juillet 2006, il m'a suggéré de lire *Birth of the Chaordic Age* de Dee Hock[4]. Ce livre extraordinaire n'a pas changé ma vie comme jadis l'avaient fait *Siddhartha* d'Hermann Hesse ou *La Quête inachevée* de Karl Popper, mais il m'a rassuré : je n'étais pas seulement un utopiste. Dee Hock, l'inventeur de la carte de crédit Visa, appliqua nombre des idées que j'essaie aujourd'hui d'emboîter les unes à la suite des autres. En me plongeant dans son livre, j'ai découvert que le programme Open Source auquel j'aspire existe en fait depuis 40 ans et qu'il fonctionne.

Les historiens du futur verront en Dee Hock l'un des visionnaires du XXᵉ siècle. Pour lui, tout commença en 1965, à Seattle. À 36 ans, il devait subvenir seul aux besoins de sa femme et de ses trois enfants. Après une succession d'expériences professionnelles malheureuses, il se retrouva au chômage. Il ne manquait pas de qualités mais se heurtait toujours à ses supérieurs et finissait par démissionner. Pourtant, il n'avait plus le choix, il devait faire taire son orgueil. Trouver un boulot tranquille. Se contenter de gagner sa vie sans provoquer de vagues.

Son truc, c'était la finance. Même s'il n'avait pas suivi d'études supérieures, il avait toujours travaillé dans des banques, souvent comme manager de petites agences en Californie. Sans rendez-vous, il se présenta à la réception de la National Bank of Commerce. La réceptionniste lui sourit, le responsable du personnel l'accueillit.

— Très vite nous discutons de bien d'autres choses que de banque et de finance, raconte Dee. Ce n'était pas un entretien mais une conversation.

Une heure plus tard, le président de la banque reçut Dee. Une nouvelle conversation passionnée suivit, puis le président promit de le rappeler si une opportunité se présentait. Une semaine plus tard, contre toute attente, il embaucha Dee sans lui proposer de poste fixe. Malgré un salaire dérisoire, l'absence de titre, d'objectifs, d'équipe, Dee accepta l'offre, juste parce qu'il appréciait les gens qu'il venait de rencontrer.

Pendant un an, ce fut l'enfer. Dee passa de service en service, devint l'homme à tout faire. Au cours de l'été 1966, il était en poste dans une agence de banlieue sous les ordres d'une femme hargneuse : un jour, elle l'envoya fouiller les poubelles à la recherche d'un dossier jeté par erreur. Dee se jura de trouver ce foutu dossier et de le lui faire bouffer !

Après cet incident, le président convoqua Dee, qui crut à un nouveau licenciement. Non, un vrai job se présentait. Dans trois mois, la banque lançait sa carte de crédit. Dee pouvait, s'il le souhaitait, collaborer avec le responsable du programme. Quatre ans plus tard, Dee était devenu l'initiateur de Visa International et son premier PDG. En quatre ans, il passa des poubelles d'une obscure succursale bancaire à la tête de la plus vaste organisation commerciale au monde.

Quel rapport entre ce conte de fées et l'ascension du cinquième pouvoir ? En apparence aucun mais, en fait, beaucoup plus qu'il n'y paraît, car Dee Hock inventa un nouveau mode d'organisation pouvant être mis à profit non seulement par les entreprises mais aussi par nos sociétés. En créant Visa, le réseau interbancaire de cartes de crédit, il démontra qu'une nouvelle forme de démocratie était possible, la démocratie participative. Personne n'y a le monopole de l'autorité : elle est partagée, tout comme la responsabilité.

Visa : comment ça marche

Dès l'automne 1966, Dee Hock appliqua le modèle participatif à la National Bank of Commerce. Il avait trois mois pour entrer sur le nouveau marché des cartes de crédit. C'était une folie. Pas le temps de louer des bureaux, pas le temps de recruter. Tous les employés avec un peu de disponibilité – peu importaient leurs compétences – se retrouvèrent pêle-mêle dans l'auditorium de la banque. Dès qu'un problème se présentait, un leader naturel apparaissait. Aucun titre, aucune équipe, aucun objectif particulier, tout le monde avançait main dans la main.

— Personne ne contrôlait quoi que ce soit, c'était le chaos, explique Dee. Mais petit à petit, l'ordre émergea.

Dee avait inventé une structure ni ordonnée ni chaotique – il l'appela plus tard *chaordique*. Elle fonctionnait pratiquement toute seule, elle se maintenait entre l'ordre et le désordre, à ce point particulièrement propice à la vie. Auto-organisation, décentralisation et responsabilisation démontrèrent leur formidable efficacité, permettant à Dee d'atteindre magistralement un objectif jugé presque impossible.

L'aventure ne faisait que commencer. En 1968, suite à de nombreuses difficultés techniques dans la gestion des cartes de crédit, Dee suggérera de créer un comité de réflexion où les banques volontaires participeraient sans engagement contractuel ou financier. Les banques pouvaient entrer ou sortir du comité sans préavis. C'était une structure Open Source avant l'heure. Dee en définit l'objectif: créer le premier système mondial d'échange de valeurs. Aucune société, aucun État, aucune personne ne pourrait en être le propriétaire, il serait totalement indépendant.

Une telle structure n'avait jamais existé. Selon Dee, elle devait ressembler à un organisme vivant. Quelques principes en régleraient l'évolution et le reste s'auto-organiserait en accord avec ces principes et dans la poursuite de l'objectif. Il n'était pas question de créer une superbanque mais un réseau de banques.

Dee ne savait pas que, suivant les mêmes méthodes, d'autres hommes créaient simultanément le réseau internet. Et que d'autres encore – des scientifiques – découvraient que de tels modes d'organisation étaient au cœur des mécanismes naturels.

Le 11 mars 1970, NBI[5], le premier réseau de cartes de crédit interbancaire, naquit. Dee Hock en devint le président. En 1973, il étendit ce réseau à la planète sous le nom de Visa International. Cette dénomination elle-même émergea d'une auto-organisation : personne ne sait qui la proposa pour la première fois.

— Mais comment ça marche ? me demande-t-on chaque fois que je parle de Visa.

J'ai bien du mal à l'expliquer : c'est une structure qui résulte d'une auto-organisation. Quelques règles appliquées systématiquement par tous les acteurs du réseau engendrent une entité qui dépasse les règles qui lui ont donné naissance. Pour se la représenter, il ne faut pas chercher un enchaînement de causes et d'effets mais se fier à son intuition, un peu comme quand on cherche à appréhender un organisme vivant dans son ensemble.

Dee raconte des anecdotes extraordinaires : les réunions ouvertes à tous, l'absence de données confidentielles, de titres pour les employés. Il évoque les conseils d'administration auxquels les conjoints des responsables des banques étaient conviés. C'était de l'Open Source : l'ouverture favorisa le développement éclair du réseau.

Les banques et les vendeurs échangeaient des services que chacun commercialisait indépendamment sous une même bannière – comme les paysans lorsqu'ils troquent leurs semences mais vendent indépendamment leurs récoltes. En s'appuyant sur la collaboration d'égal à égal, en ne cherchant pas à facturer chacun des services que s'échangeaient les partenaires, sans direction centrale et sans hiérarchie, Visa devint la plus grosse entité commerciale au monde. Pourtant, entre 1996 et 2006, *Business Week*, *Fortune* et *Forbes* ne publièrent que 35 articles sur Visa alors qu'ils en consacraient plus de 1 000 à Microsoft !

Dans les médias, Visa est invisible. C'est l'une des marques les plus connues mais personne ne connaît les actionnaires ou le cours du titre. Et pour cause, Visa n'appartient à personne, n'est pas coté en bourse, c'est un réseau qui, comme internet, dépasse les frontières géographiques et juridiques. La plus grande structure commerciale au monde ne ressemble à aucune autre. Alors qu'elle unit des banques, elle échappe en quelque sorte au capitalisme. Les médias ne savent pas comment en parler car les règles qui leur permettent de décrypter la société ne fonctionnent pas avec Visa.

Une entreprise est une société

Le 20 octobre 2006, je rencontrai Benjamin Griveaux, l'un des conseillers de Dominique Strauss-Kahn. Lors d'une prise de bec, je lui parlai de Visa, de cette autre possibilité organisationnelle. Après mon monologue, sa réplique fut cinglante :

— La société n'est pas une entreprise.

Pour moi, l'une et l'autre mettent des gens ensemble en leur demandant de coopérer. Griveaux n'était pas d'accord :

— Dans la société, il y a des enfants et des vieux, il y a une armée, il y a l'éducation, une politique extérieure...

Mais tout cela existe aussi dans une entreprise. Les employés suivent des formations, ils ont des enfants et des parents qui, même s'ils ne viennent pas au bureau, y travaillent indirectement. Lorsque j'aide ma femme à résoudre un problème professionnel, je travaille avec elle même si je ne reçois aucun salaire de la multinationale qui la paie. L'entreprise dépasse de loin le cadre de ses salariés.

Quant à l'armée, toutes les entreprises en possèdent une. Parfois même elles ressemblent à des armées tant leur ambition est d'éliminer les entreprises adverses, suivant une logique perdant-gagnant. Avec Visa, Dee Hock établit un jeu gagnant-gagnant. Toutes les banques du réseau gagnaient, les vendeurs affiliés et les clients aussi. Si nous ne généralisons pas cette attitude, c'est la planète qui perdra et nous avec.

Pour moi, une entreprise est une société humaine comme une autre : il y a des exclus, des oubliés, des maltraités... On y retrouve en général tous les maux de notre société.

Par ailleurs, une entreprise n'est pas nécessairement plus simple que la société à laquelle elle appartient – Visa met en contact 1 milliard d'êtres humains, 20 millions d'entreprises, 20 000 banques ! C'est une entité complexe. Dans un système complexe, chacune des parties l'est autant que le tout. Ce n'est pas parce que nous mettons moins de gens ensemble que les problèmes se simplifient.

Comme Dee Hock, je ne peux m'empêcher de penser que les entreprises, ou plutôt un réseau comme Visa, peuvent nous guider vers d'autres modes d'organisation de nos sociétés, donc vers d'autres politiques.

Visa : un modèle de démocratie

Dee Hock se lança dans l'aventure Visa sans théoriser. Ses expériences malheureuses l'avaient pourtant poussé à se poser trois questions qui ne cessèrent de le hanter.

1/ Pourquoi les organisations, partout, qu'elles soient commerciales, sociales ou religieuses, ont-elles de plus en plus de difficultés à mener leurs affaires ?

2/ Pourquoi, partout dans le monde, les individus se sentent-ils très souvent en conflit avec les organisations auxquelles ils appartiennent ?

3/ Pourquoi la société et la biosphère se dégradent-elles davantage chaque jour ?

Pour Dee, la réponse à ces questions était évidente : la logique de l'âge industriel dont nous sommes les héritiers – âge qui débuta il y a 400 ans avec la Renaissance – n'est plus adaptée à notre monde. Dee lista les maux de cet âge.

1/ Notre manie de tout séparer, de tout trier, de tout simplifier, de réduire la variabilité, nous pousse à nier la complexité et à croire que nous pouvons tout contrôler alors que nous ne sommes même pas capables de nous contrôler nous-mêmes.

2/ Centralisation et hiérarchisation ne permettent pas d'affronter la complexité.

3/ Dans leur désir de contrôler, les patrons comme les élus veulent commander à tous, ce qui revient à priver les individus de leur liberté, donc de leur responsabilité.

4/ Les individus, une fois intégrés à une structure qui les dépasse – l'État ou l'entreprise – sont capables de commettre des horreurs (un peu comme les soldats sous prétexte qu'ils sont en guerre).

5/ Nous recherchons systématiquement les causes qui produisent les effets en oubliant les contre-réactions (les effets qui influencent leurs propres causes).

6/ Nous méprisons l'environnement et les hommes au nom de la croissance économique, ce qui interdit tout développement durable.

Dès les années 1960, Dee aboutit, plus au moins consciemment, au constat suivant : l'âge industriel nous rend schizophrènes. Le réductionnisme était allé trop loin. Aujourd'hui, tout est séparé. On se demande parfois si le moi qui travaille, celui qui rentre chez lui et celui qui est citoyen forment une seule personne. Du coup, l'un peut commettre des atrocités dont l'autre se lave les mains.

Pour Dee Hock, il était temps de devenir responsable : si je pollue au travail, je pollue en tant que citoyen, je ne peux laisser faire, quel qu'en soit le prix.

Depuis l'avènement de l'âge industriel et son mode de management par le haut, Dee Hock remarqua que nous n'avions inventé aucun nouveau mode d'organisation. Selon lui, il fallait essayer autre chose et, pour commencer, changer de perspective.

1/ Toutes les choses et tous les êtres vivants sont interdépendants.

2/ Bien qu'interdépendants, tous les hommes diffèrent.

3/ Les véritables communautés se construisent sur des échanges immatériels et non facturés (pour détruire une communauté, il suffit de mettre un prix sur tout).

4/ Tout homme naît leader (enfant, il commence par mener ses parents par le bout du nez).

5/ En l'absence de manager mais sous l'impulsion de leaders, les hommes s'auto-organisent.

Cette démarche peut-elle s'étendre à l'ensemble de la société ? Dee Hock l'espère, même si depuis qu'il a quitté Visa en 1984, les choses ont bien changé. À ses yeux, nous vivons encore dans l'enfance de la démocratie et Visa peut nous servir de modèle pour une démocratie adulte.

Le modèle biologique

Les entreprises ne doivent pas être nos seules sources d'inspiration. Depuis 4 milliards d'années, la nature expérimente des solutions. Il est important d'ouvrir les yeux sur ce trésor.

Que découvrons-nous depuis quelque temps ? Que les modes d'organisation biologique sont le plus souvent très différents de ceux que nous trouvons dans les sociétés humaines, comme si l'homme était un extraterrestre.

Dans la nature, les organismes complexes reposent sur des réseaux décentralisés et non sur des systèmes de dépendance pyramidaux. Pourquoi ? Si un système a un centre, sa vulnérabilité est celle de ce centre. Dans un système décentralisé, aucun élément n'est vital. L'organisme ne succombe qu'après la destruction d'une grande partie de ses éléments.

La décentralisation est gage de solidité et de réactivité. Les informations n'ont pas besoin de remonter jusqu'à un central avant d'être redistribuées. Elles circulent transversalement, ce qui évite les goulets d'étranglement.

Mais alors pourquoi n'avons-nous qu'un cerveau ? En fait, nous en possédons plusieurs. Notre cerveau est lui-même décentralisé, comme tous nos organes. Il résulte de la collaboration d'une multitude d'éléments indépendants qui communiquent entre eux sans qu'aucun ne soit au-dessus des autres.

Chez nous, le sentiment de pouvoir et de contrôle est très fort. Nous avons l'impression que notre conscience flotte au-dessus du corps tel un chef implacable. En tout cas, nous la percevons souvent de la sorte ce qui trouble notre jugement. De même, nous avons l'illusion d'une Terre plate et elle ne l'est pas. Nous avons une vision instinctivement hiérarchique du monde et il ne l'est pas.

Par ailleurs, nous sommes des mammifères : nombre d'entre eux vivent dans des structures hiérarchisées. La nature n'a donc pas commis une erreur avec nous. Non. Dans des situations simples, la hiérarchie accroît l'efficacité d'un groupe. Mais dès que les rassemblements humains dépassent une centaine de personnes, la hiérarchie perd en efficacité.

Les insectes, contrairement aux idées reçues, ne vivent pas en dictature. En l'absence de technologies sophistiquées – le langage par exemple –, des millions d'individus ne peuvent que s'auto-organiser pour maintenir la cohérence du groupe. La nature n'a pas trouvé de meilleure solution. Elle a choisi la plus efficace en terme de rendement.

Nous autres, pour maintenir l'intégrité de nos sociétés, nous poliçons, nous ajoutons des niveaux hiérarchiques de contrôle. Presque toutes les sociétés humaines ont adopté cette solution au cours de leur développement. Elles sont restées dans la logique de la horde.

Malheureusement, la perte de l'efficacité n'est pas linéaire : elle s'accumule exponentiellement avec les empilements hiérarchiques. Quand j'étais manager dans la presse, je l'ai expérimenté à mes dépens. Pour atteindre un objectif double, il faut souvent multiplier par dix les ressources. Plus nos sociétés se développent, plus elles gaspillent de l'énergie dans le seul but de maintenir leur cohésion.

— Un homme primitif consommait dix fois moins d'énergie qu'un Occidental, m'a expliqué Geoffrey West, le patron du Santa Fe Institute[6], le centre de recherche multidisciplinaire dédié à la complexité qui se trouve au Nouveau Mexique.

Notre mode d'organisation – et pas seulement notre mode de vie – est dispendieux. Il n'est plus adapté à un monde aux ressources limitées. Si nous persistons dans notre volonté de tout contrôler, le coût à payer sera trop grand, vis-à-vis de l'environnement et vis-à-vis de nous-mêmes.

Comme le fit Dee Hock avec Visa, nous devons apprendre à nous organiser différemment, en favorisant la décentralisation et les structures en réseau. En coupant les hiérarchies, en acceptant de renoncer au contrôle, nous gagnerons en efficacité. C'est ce qu'a commencé à faire le cinquième pouvoir.

Laisser pousser les avions

Aujourd'hui, l'un des meilleurs exemples de ce type d'organisation est l'encyclopédie collaborative Wikipedia. Nous avons la possibilité d'y écrire des articles, de les corriger ou de les compléter. Par principe, des erreurs énormes peuvent être commises et des mensonges publiés.

Les éditeurs d'encyclopédies traditionnelles jugent ce laisser-aller inacceptable. Pour défendre leurs méthodes éditoriales, ils listent les noms de leurs prestigieux collaborateurs, souvent d'éminents universitaires. Leur ambition est de ne commettre aucune erreur, de livrer un produit parfait.

Mais si la perfection existait autrement qu'en rêve, nous le saurions. Même le plus accompli des experts commet des erreurs de temps à autre. Dans toute création humaine il y a des bugs, sauf peut-être dans les œuvres d'art, où le bug devient pour ainsi dire source de beauté.

Une fois une encyclopédie traditionnelle éditée, elle va vivre des années avec ses erreurs. Par nature fermée – financièrement, il est impossible de maintenir sur le pont une équipe d'auteurs –, elle restera erronée jusqu'à sa prochaine édition. En revanche, Wikipedia évolue en temps réel. Une fois une erreur repérée, elle est aussitôt corrigée par celui qui la découvre. Si, au départ, les articles de Wikipedia sont souvent moins bons que ceux d'une encyclopédie traditionnelle, ils se bonifient avec le temps, finissent par devenir de plus en plus pertinents.

L'acceptation de l'erreur initiale permet d'aller plus loin. C'est l'un des mécanismes essentiel de l'évolution : la nature essaie des combinaisons, en écarte, en consolide. Il faut s'ouvrir aux variations, admettre qu'il est impossible d'atteindre la perfection de but en blanc.

D'un côté, l'âge industriel se veut sûr de lui. De l'autre, l'âge que j'appelle citoyen accepte ses faiblesses et compte sur la collaboration de tous pour s'améliorer. Nous sommes dans la même situation que lorsqu'on analyse les stratégies de communication télévisuelle et on line : d'un côté, on veut gagner de suite et à coup sûr ; de l'autre, on sait que les choses prennent du temps et sont incertaines.

Quand je compare ainsi les deux âges, on me demande souvent comment construire un avion avec la logique de l'âge citoyen. En souriant, je réponds qu'il faut le laisser pousser. Mais je ne plaisante qu'à moitié. À l'avenir, si nous voulons dépasser le niveau technologique atteint à la fin du XXe siècle, summum de l'âge industriel, nous devrons adopter des méthodes plus organiques, certaines étant déjà mises en œuvre en informatique avec les algorithmes génétiques.

Le modèle internet

Sur Wikipedia, le cinquième pouvoir s'est mis au travail. Là il participe à la création d'une encyclopédie, ailleurs à des travaux de recherche, à la création de bases de données photographiques ou à la rédaction d'une Constitution universelle des hommes sur notre planète en danger.

Internet a rendu tous ces engagements possibles, leur donnant une ampleur et une ambition dignes des utopistes des Lumières. Le secret d'internet, de son succès, c'est son organisation décentralisée et non hiérarchique.

Dans cet espace « libéral », aucune initiative n'est interdite *a priori*. Nous pouvons essayer des choses : si elles fonctionnent, elles se propagent et d'autres hommes les adoptent. Internet s'est ainsi construit de proche en proche : d'université en université, d'entreprise en entreprise, aujourd'hui de citoyen en citoyen. Le réseau que personne n'a dessiné, que personne n'a pensé, s'est formé de lui-même.

L'absence de commandement central n'a pas mené à l'anarchie. Comme chez Visa, une forme d'ordre est apparue. Les contraintes techniques, d'abord, ont imposé des limites, puis les usagers eux-mêmes. Ils ont commencé par interdire certaines pratiques, le spamming par exemple, et ont développé des outils permettant de poursuivre les contrevenants. Ces derniers existent toujours mais ils sont hors la loi, comme les bandits dans la société civile.

Internet n'est pas le meilleur des mondes, il nous montre juste comment franchir un cap vers la complexification de la société sans succomber sous son poids.

Vous allez peut-être croire que je suis ultralibéral et que je prône le laisser-faire. Non, je suis tout le contraire. Il me paraît important de m'expliquer sur ce sujet, même si je ne suis pas économiste. Dans une interview, le philosophe Manuel De Landa déclara [7] :

— Un des domaines qui sera influencé [par la théorie de l'auto-organisation] – qui l'est déjà en fait –, c'est l'économie, parce qu'elle présente une forme d'ordre qui n'a été planifiée par personne, qui n'a été mise en œuvre par personne. Pourtant, nous avons tendance à croire que tout ce qui concerne la société humaine et présente une forme d'ordre a été pensé par quelqu'un. Par exemple, Versailles fut dessiné jusqu'au moindre détail par Louis XIV et ses ministres, et c'est ainsi que nous percevons la société humaine. Nous pensons que tout se fait avec une finalité. Mais il y a des actions collectives qui ne sont pas voulues, et leur ordre que personne n'a contrôlé résulte d'une auto-organisation. Les marchés en constituent l'exemple le plus frappant.

J'eus l'impression d'entendre parler Tolstoï au sujet de la bataille de Borodino. Personne ne la voulut, ni Napoléon, ni Koutouzov, personne ne la gagna, personne ne la perdit, mais elle se déroula et changea le destin de l'Europe. Un ordre nouveau jaillit prémédité par aucun.

Manuel De Landa prend pour exemple un marché traditionnel, le marché de village idéal. Un jour précis de la semaine, les paysans s'y retrouvent dans le but de vendre, les villageois les rejoignent dans le but d'acheter. Tout cela est organisé hormis les prix, qui se fixent eux-mêmes suivant l'offre et la demande, en l'absence de contrôle central.

Manuel De Landa attire notre attention sur un autre type de marché qui, lui, n'est pas auto-organisé. Dès qu'un producteur refuse de vendre, dès qu'il stocke, attendant des jours meilleurs, il commence à contrôler le marché et à l'organiser pour maximiser ses bénéfices. S'il achète la production de ses concurrents, il peut alors influer sur les prix en créant artificiellement de la pénurie. Lorsque les banques lui font crédit pour supporter sa stratégie commerciale, elles interviennent à leur tour sur le marché et le contrôlent.

Un producteur devenu assez riche peut acheter ses concurrents, acheter ses fournisseurs, intégrer à lui-même une partie du marché originellement auto-organisé. La grande distribution réussit ce tour de force. Elle est capable d'imposer ses prix aux producteurs.

— Voici le prix du melon. Si vous ne voulez pas vendre à ce prix, eh bien crevez.

Nous sommes loin de l'auto-organisation. Le résultat est un marché centralisé, hautement contrôlé par ses grands acteurs. C'est un monde dominé par la loi du plus fort. Citant Fernand Braudel, Manuel De Landa appelle *antimarchés* ces marchés sous contrôle. Nous avons en fait deux types de marché qui cohabitent et s'interpénètrent.

1/ Le marché auto-organisé qui n'est pas contrôlé. Les acteurs y agissent en toute liberté puisque personne ne leur donne d'ordres. Les longues traînes se développant sur le web remettent au goût du jour ce type de marché.

2/ L'antimarché contrôlé par les puissants. Les acteurs n'y disposent que d'une liberté relative. La main invisible imaginée par l'économiste Adam Smith y devient par trop visible. J'appelle cela – certes sommairement – le capitalisme.

Pour moi, le capitalisme ne jaillit pas du bas, il n'est pas participatif, il nous est imposé par le haut, par les mains visibles. En tout cas, il a aujourd'hui pris cette forme. Il n'a rien de libéral puisqu'il cherche à contrôler les prix, donc les hommes. Un fait d'ailleurs me surprend : les grands apôtres du libéralisme économique organisent souvent dictatorialement leurs entreprises ; ils sont libéraux mais leurs entreprises ne connaissent pas la démocratie.

À mon sens, Manuel De Landa met en garde contre les prosélytes du libéralisme économique. Ils souhaitent moins d'État, moins de régulation pour en fait s'approprier le contrôle. Ils veulent que les antimarchés tuent les marchés auto-organisés, lieux où se joue une économie libérale au sens le plus noble.

Pour empêcher la dictature des antimarchés, il y a me semble-t-il deux approches.

1/ Donner plus de puissance à l'État, qui lutte contre les dérives et fait appliquer des réglementations.

2/ Maximiser la liberté des individus pour qu'ils puissent échapper aux antimarchés en créant de vrais marchés libres, c'est-à-dire en ouvrant des longues traînes.

La première solution ne m'a jamais satisfait car elle se contredit pour au moins deux raisons. L'État devient facilement le jouet des antimarchés. Nous le voyons tous les jours à travers les affaires de corruption et la mise en évidence des liens de connivence entre médias et pouvoir. Rien ne peut garantir l'intégrité de l'État, surtout pas des élections à répétition, qui puisent toujours dans le même vivier de politiciens.

La seconde raison est plus perverse. Pour éviter les dérapages des antimarchés, il faut réguler, donc réduire la liberté. Or je suis persuadé que nous avons besoin de davantage de liberté pour créer de véritables marchés libres. Le remède au libéralisme économique – qui n'a rien de libéral comme le montre Manuel De Landa – n'est donc pas l'étatisme mais un véritable libéralisme, c'est-à-dire une ouverture de la longue traîne.

Dans ce nouveau modèle, l'État peut survivre, il a sa place, mais il doit changer sa structure pour passer de l'âge industriel à l'âge citoyen[8]. Des libéralismes étatiques et anticapitalistes sont possibles, reste à les inventer.

Des politiques

J'ai essayé de cartographier les possibilités politiques s'offrant à nous (fig. 8.1). Sur un axe horizontal, j'ai placé la gauche et la droite, la gauche privilégiant les solutions qui passent par l'État et la solidarité, la droite privilégiant les solutions qui passent par le privé et la compétition.

Néanmoins, ces deux possibilités cohabitent dans chacune des tendances politiques. La droite n'est pas contre la solidarité, elle pense juste que nous arriverons à davantage de solidarité en faisant confiance aux initiatives privées. La gauche, elle, compte s'appuyer sur cette même solidarité pour créer des entreprises plus humaines et donc plus performantes. La différence entre la gauche et la droite se résume aujourd'hui à une question de priorité.

En revanche, un fossé se creuse suivant un axe transversal. Il oppose l'âge industriel à l'âge citoyen, les conservateurs au cinquième pouvoir. Presque tous nos partis politiques défendent exclusivement les méthodes de l'âge industriel. Persuadés d'avoir les solutions à tous nos problèmes, ils pensent management hiérarchique.

Il faut essayer de voir au-delà des mots, au-delà des capitalistes qui se disent libéraux et cherchent à tout contrôler, des altermondialistes qui se disent progressistes et pensent soigner les maux du monde en privilégiant les mêmes solutions que les capitalistes.

Les écologistes et les altermondialistes penchent trop souvent vers le management hiérarchique, vers les méthodes à la source des maux. Leur véritable place est au cœur du collaboratif. J'espère qu'ils le comprendront, que l'ensemble des forces citoyennes se rassembleront, ouvrant une troisième voie politique, seule capable de résoudre nos problèmes.

Le rassemblement ne doit pas se faire à droite ou à gauche, encore moins au centre, mais ailleurs. Souhaité par beaucoup, organisé par personne en particulier, ce rassemblement en réseau se produit de lui-même, sous l'impulsion du cinquième pouvoir.

— Aussi incroyable que ça puisse paraître, il se développe en ce moment même, et dans le monde entier, un mouvement d'une ampleur sans doute comparable à celui qui, il y a deux siècles, aboutissait à la Révolution française, écrit sur son blog François Collet[9]. Les similitudes sont nombreuses : il ne porte pas de nom, n'a pas de leader, aucun mouvement ou organisation ne le représentent ou le résument, ses contours sont extrêmement flous. Même les gens qui y participent en ont plus ou moins conscience et chacun en a une vision différente. Et pourtant il existe et devient un peu plus visible chaque jour.

Le cinquième pouvoir entame une révolution organisationnelle. Il change la structuration de la société en coupant progressivement les hiérarchies au profit des réseaux. Cette révolution souterraine rendra – en douceur espérons-le – les anciens modes d'organisation obsolètes. À l'image du mur de Berlin, peut-être tomberont-ils bientôt comme des fruits trop mûrs.

Le discours de la méthode

C'est en partie à cause de nos méthodes d'organisation que le monde se trouve dans son état de délabrement actuel (pauvreté, chômage, dérèglement climatique...). Si nous ne changeons pas ces méthodes, nous ne réglerons pas les problèmes, qu'ils soient provoqués ou non par nous.

Les communistes avaient des idées intéressantes, leur méthode fut catastrophique. Nous ne devons pas être des idéologues mais des pragmatiques : internet s'est construit sans idées mais avec une méthode. Ensuite, les idées ont germé dans des directions que personne n'avait anticipées. D'une certaine façon, les politiques viennent après la méthode. Depuis deux siècles, toutes se sont appuyées sur le modèle hiérarchique. Il est temps de changer de paradigme, de passer à la démocratie participative.

Dans cette démocratie, personne ne détient la vérité, elle n'existe même pas – pas plus que la pureté ou d'autres concepts tout aussi abstraits. Dans ce monde sans divinité tutélaire, l'intelligence collective doit être mise en avant, à la suite du mouvement Open Source en informatique.

J'entends beaucoup de personnalités parler de participation, mais leurs approches sont souvent trop timides car elles refusent de faire table rase. Voter, c'est participer mollement. Le vote est à la vie politique ce que le pari est au sport : quand on parie, on ne fait pas de sport. Eh bien quand on vote, on ne fait pas de politique. On se contente de plébisciter un système dont le moteur a quelques ratés.

Quand je mets le droit de vote en question sur mon blog, certains commentateurs me disent que je suis immoral sous prétexte que des gens sont morts pour gagner ce droit. Des gens sont également morts pour abattre les tours du World Trade Center. Faut-il juger d'une chose à l'aune du prix du sang ?

Non. Il y a des choses qui marchent un temps puis qui ne marchent plus. C'est le cas du vote. Il est temps de rénover cette invention poussiéreuse. La rénovation ne se fera pas à coups de gadgets, genre machine à voter, carte d'électeur électronique ou vote à distance. Tous ces trucs sont imaginés par des gens qui manquent d'imagination.

En général, nous voulons plaquer internet sur ce qui existe plutôt que de tirer ce qui existe vers internet. Les deux approches ne sont pas inconciliables. Certains se consacrent à la première, ils plaquent l'électronique sur le vote, moi je m'intéresse à la seconde. Internet va non seulement moderniser la société que nous connaissons mais également nous aider à en inventer une nouvelle. Dans cette société – que j'espère ultradémocratique –, le vote ne sera qu'une voie participative parmi d'autres.

Qu'il soit électronique ou non, j'ai l'impression que le vote ne possède qu'un seul intérêt : il est source de débats. À chaque élection, il nous pousse à présenter des projets. Il nous force à nous intéresser, au moins un tout petit peu, aux idées adverses. Pour cette seule raison, il est précieux et indispensable. Mais cet avantage – il en possède sans doute d'autres – ne peut pas nous faire oublier ses désavantages.

Majoritaire. Il laisse toujours une grande partie de la population insatisfaite parce qu'elle n'est pas représentée. Le concept de majorité prenait tout son sens à l'époque où une minorité, la noblesse, opprimait le plus grand nombre, ce qui n'est pas le cas aujourd'hui. La majorité ne possède plus la moindre légitimité.

Non unanime. Puisque c'est le plus grand nombre qui l'emporte, les minorités ne sont pas représentées. Or, dorénavant et contrairement à l'époque prérévolutionnaire, ces minorités sont souvent celles qui sont le plus en difficulté. Un renversement de perspective s'est produit : le décideur ultime qui était une minorité, la noblesse, est devenu le plus grand nombre par l'intermédiaire du vote. De nouvelles minorités sont apparues : au lieu de les faire taire, il faudrait les écouter plutôt deux fois qu'une car elles portent la plupart des maux de notre société et, sans doute aussi, les solutions à nombre de nos problèmes.

Hypocrite. Quand les élus ont le plus grand nombre de leur côté, ils risquent moins d'être chahutés par l'opposition. Le système majoritaire est un gage de stabilité, c'est son seul intérêt.

Déresponsabilisant. On vote rarement et, entre-temps, on délègue sa responsabilité aux élus.

Élitiste. Dans la logique de l'âge industriel, il suppose que les élus sont capables de manager les électeurs. Il se fonde sur le vieux modèle monarchiste selon lequel il faut un roi avisé pour commander au peuple.

Achetable. On ne peut voter que pour ceux qui se présentent, et se présenter n'est pas ouvert à tous (signatures, barrage des partis...). Le vote a transformé la noblesse de cour en une noblesse de parti.

Manipulable. Le marketing de niche fait passer la tactique électorale avant les idées politiques.

Périodique. Le vote empêche les hommes de se maintenir longtemps au pouvoir (mais pas les partis et les énarques). On peut voir ce point comme un avantage – éviter l'enkystement des politiques – mais aussi comme une hérésie – l'impossibilité de mener des politiques à long terme. Va-t-on régler les problèmes environnementaux en changeant de direction tous les cinq ans? Certains cas exigent un renouvellement régulier des hommes, donc des politiques, d'autres nécessitent, au contraire, plus de constance. Le vote n'a aucun discernement. Il est aveugle.

Après ce constat, je vois une première solution de replâtrage: la proportionnelle. Il faut pousser les tendances adverses à collaborer. C'est d'ailleurs une obligation dans une politique de longue traîne où les élus ne représentent plus que des minorités. Le gouvernement serait composé à la proportionnelle en fonction des suffrages reçus, obligeant l'union nationale.

La proportionnelle a souvent été accusée d'engendrer un pouvoir faible: je suis persuadé qu'un tel pouvoir est une grande force dans un monde complexe dominé par la diversité. Il favorise la recherche du consensus, pousse au dialogue avec les citoyens et les incite à participer à la vie politique. Dans un monde complexe, un pouvoir fort est inefficace, il est même dangereux car il nie l'existence du cinquième pouvoir, l'intelligence des citoyens.

La proportionnelle est une mesure technique qui, sans supprimer tous les défauts du vote, en aplanit bon nombre. On peut proposer un possible tirage au sort pour décider du choix des hommes au sein d'un parti, toujours afin de briser le système élitiste.

Au-delà de quelques rénovations constitutionnelles, je pense que, pour survivre, la démocratie doit jouer à fond la carte de la participation. Si voter c'est participer, participer n'est pas nécessairement voter. Wikipedia en est un superbe exemple de modèle participatif au sein duquel personne ne vote pour quoi que ce soit.

Il existe un autre modèle. Sur les journaux citoyens *slashdot.org* ou *agoravox.fr*, on vote sur tout, à tout bout de champ. Le vote n'a alors plus beaucoup de rapport avec celui que nous connaissons. C'est un vote à la romaine : j'aime, je n'aime pas.

D'autres types de vote sont moins explicites. Quand, depuis mon blog, je pointe vers un autre blog, je vote pour lui en lui donnant plus de visibilité dans les moteurs de recherche. Quand j'achète un livre sur Amazon, je vote aussi pour lui, associant ce livre à tous les autres que j'ai déjà achetés, construisant par mes choix un filtre d'achat qui aidera d'autres lecteurs.

Le vote n'a plus besoin d'être déclaré.

Le vote n'a plus besoin d'être soumis à tous les citoyens.

Le résultat est à la proportionnelle. Il n'y a plus un vainqueur et des perdants mais un ensemble de positions plus ou moins appréciées.

C'est un vote de jugement de ce qui a été fait.

Nous touchons là, sans doute, la différence fondamentale entre la participation version internet et le vote version démocratique. Sur internet, nous faisons les choses sans aucune légitimité puis nous en discutons, nous votons éventuellement pour les rendre plus ou moins visibles. Mais surtout nous les utilisons et les consultons si elles nous intéressent, et ce faisant, nous les légitimons.

La participation *a priori* est une utopie.

Il faut que des gens se mouillent, proposent des solutions puis que d'autres les critiquent et surenchérissent. On ne participe pas sur du vent.

Dans nos démocraties, nous discutons trop *a priori*. Après avoir voté, nous nous désintéressons de ce qui se passe. Le vote nous permet de choisir entre des projets mais pas d'influer sur leur mise en œuvre sous prétexte que les élus sont plus compétents que nous et qu'ils n'ont plus besoin de nous une fois élus.

Quel rapport entre les compétences électorales et les compétences de terrain ? Nous votons pour des personnalités qui savent se faire élire, non pour des personnalités qui savent mettre en œuvre des projets. C'est toute l'absurdité du système électoral. Il n'est absolument pas méritocratique.

Harmonisation électronique

Lorsque nous travaillons à plusieurs, soit un manager nous dit ce que nous devons faire, soit chacun est leader sur ses domaines de compétence. Dans ce cas, personne n'est le chef de personne.

La première méthode fonctionne avec les problèmes que nous savons déjà résoudre (travail à la chaîne par exemple). Elle devient moins efficace dès que nous explorons l'inconnu et cherchons de nouvelles solutions. Il est alors préférable de libérer la puissance de tous les individus, de les laisser collaborer d'égal à égal.

Si le vote permet de désigner un manager, il a moins d'utilité lorsque nous cherchons à nous harmoniser. Quand une famille veut repeindre les murs de son salon, pour choisir la couleur, elle a plusieurs possibilités :

1/ un de ses membres impose son choix (dictature managériale) ;

2/ chacun des membres propose une couleur puis on vote, en plusieurs tours éventuellement ;

3/ on tire une couleur au sort ;

4/ sous l'impulsion d'un leader naturel, on essaie de trouver une couleur qui plaît à tous.

La quatrième solution satisfera sans doute au mieux la famille. Ainsi dans la vie, le plus souvent nous ne votons pas, nous nous harmonisons. Nous savons intuitivement que cette logique gagnant-gagnant est la plus judicieuse.

Mais comme l'harmonisation d'une dizaine de personnes est déjà difficile, nous avons pris l'habitude de nous organiser hiérarchiquement. Les hiérarchies nous ont permis de structurer nos sociétés et de les faire grandir.

Malheureusement, dans un monde de plus en plus complexe, le système managérial est de moins en moins adapté (faible bande passante, manque de réactivité, sempiternelles luttes de pouvoir, mauvais rendement, coût énergétique qui croît exponentiellement...). Si nous voulons nous en sortir, nous devons apprendre à collaborer à une vaste échelle.

Les nouvelles technologies entrent alors en jeu : elles nous aident à construire des réseaux à travers lesquels nous pouvons collaborer en nous affranchissant des limites humaines (le fameux groupe de 100 personnes). Ces réseaux nous permettent de collaborer avec des gens que nous ne connaissons pas. Wikipedia est un bon exemple. Mais internet en est un autre.

Nous ne faisons que chercher à nous harmoniser.

Nous ne votons pas parce qu'il n'y a rien à gagner à prendre des décisions aussi sommairement.

Lorsqu'un groupe a une idée, il l'implémente. Si elle fonctionne, d'autres s'en emparent et la propagent. Jamais un groupe ne pense pour tous les autres.

Suis-je contre le vote ?

Non.

En fait, je suis pour la tenue régulière d'élections : elles forcent le débat démocratique. Mais elles devront faire émerger des élus avec de nouvelles missions. De managers, ils se transformeront en leaders. Ils ne nous diront plus comment faire les choses mais nous montreront comment ils les font eux-mêmes. Dans la logique « Qui m'aime me suive », ils seront des exemples et non plus des chefs de police. Ils donneront des directions à la société sans nous dire comment résoudre les problèmes de terrain.

Dans une démocratie participative, les citoyens agissent, se critiquent, échangent les bonnes idées. Les élections posent de grandes questions de société, en discuter stimule les citoyens qui se remettent au travail, peut-être dans de nouvelles directions.

La participation ne doit pas être légiférée mais favorisée par des élus devenus leaders, des élus acceptant de ne plus avoir les réponses à tous nos problèmes.

Les réponses, nous y travaillons ensemble.

J'aimerais proposer une nouvelle définition de la politique, en tout cas de la politique de demain : plutôt que l'art du gouvernement des sociétés humaines, je voudrais qu'elle devienne l'art de vivre en société.

Remise en cause des diktats

Aujourd'hui, en théorie, les citoyens peuvent proposer des lois que l'Assemblée nationale est susceptible d'adopter, c'est le principe républicain. En pratique, le gouvernement décide de tout, l'Assemblée lui obéit. Maintenant que le cinquième pouvoir se fait entendre, ses propositions doivent être discutées. Le gouvernement ne devrait même plus proposer de lois mais mettre en œuvre celles qui remontent du peuple.

Le 14 septembre 2006, j'assistai à une conférence de Jérôme Barrand[10], professeur à l'École de management de Grenoble. Il parlait du management agile, autrement dit de l'opposition entre manager et leader. Il raconta à cette occasion une anecdote qui me frappa.

En 1985, lorsque Daniel Costantini devint entraîneur de l'équipe de France de handball, c'était un manager dans la pure tradition autoritariste. Il imposait à tous ses vues et ses décisions, pliant ses hommes à sa volonté. Dix ans plus tard, l'équipe des Barjots, animée par le génial numéro 10 Jackson Richardson, emportait le premier championnat du monde de son histoire.

Le management à la dure avait porté ses fruits, amenant le handball français au sommet. Lors des compétitions suivantes, Daniel Costantini ne changea pas cette méthode gagnante. Pourtant, même si ses joueurs n'avaient jamais été aussi bons, leurs résultats furent dès lors décevants. Les stars de l'équipe avaient gagné en assurance, elles ne cachaient plus leurs opinions, n'acceptant plus aveuglément les consignes de leur entraîneur. Une forme de cinquième pouvoir était apparue qui entravait la gouvernance de Daniel Costantini.

En 2001, il accepta malgré tout d'entraîner l'équipe pour les championnats du monde qui se déroulaient en France. Il réunit ses joueurs en huis clos et leur proposa un marché :

— Vous fixez les règles, la tactique de jeu, la stratégie... Une fois que vous serez d'accord, je vous jure que je vous les ferai suivre à la lettre.

De manager, Costantini était devenu leader. Le 4 février 2001, l'équipe emportait son deuxième titre mondial.

Entre 1995 et 2001, une révolution s'était produite au sein de la sélection française. Dans la société, le même scénario se joue. Après l'invention d'internet et la naissance du cinquième pouvoir, la politique ne peut plus être la même. Nous devons en repenser les méthodes, l'asseoir sur un nouveau substrat. Il faut imiter les Athéniens qui, alors même qu'ils inventaient la démocratie, ne cessaient de la questionner et d'en évaluer les faiblesses.

Le temps de la responsabilité

« Les hommes se mettent en marche d'Occident en Orient, massacrent leurs semblables, et cet événement est accompagné de discours sur la gloire de la France, la perfidie de l'Angleterre, etc., écrit Tolstoï dans *La Guerre et la Paix*. [...] Ces justifications libèrent les hommes qui participent à l'événement de leur responsabilité normale. Ces buts provisoires jouent le rôle des balais placés à l'avant de la locomotive pour nettoyer la voie. Ils aplanissent la route devant le sentiment de responsabilité morale. »

Pour Tolstoï, le chef a pour fonction non de diriger les événements mais d'en justifier la nécessité – parfois l'horrible nécessité. Quand les chefs disent qu'il faut tuer pour le bien de la nation, les hommes pillent, violent, tuent... Ils mettent leur sens moral « en veilleuse » et se transforment en bêtes sauvages.

Cette théorie de la disculpation se justifie d'un point de vue évolutif. Les hordes de mammifères, en se dotant de chefs, acquièrent un avantage certain. Chez les humains, lorsqu'une horde devient société, sa complexité devrait faire disparaître la nécessité de chefs, l'auto-organisation étant alors plus efficace. Mais ça ne se passe pas de cette façon.

Chez nous, il y a encore des chefs parce que leur présence procure un avantage qui compense leur inefficacité. Quel est-il ? Nos sociétés complexes se développent avec la conscience des individus qui, pour vivre ensemble, développent un sens moral. Mais ce sens moral, indispensable au quotidien, s'avère problématique en temps de crise. Il faut alors le « désactiver » : tel serait le rôle du chef. C'est sans doute pour cette raison qu'historiquement le pouvoir séculaire s'associe presque toujours au pouvoir religieux, car son domaine est la moralité.

Nous aurions besoin de chefs pour nous déresponsabiliser. Peu importe qu'ils soient des monstres, des bandits, des truands, pourvu qu'ils soient responsables et cautionnent nos égarements sauvages. Mais les idées de Tolstoï sont-elles encore valables ? J'entends des voix chuchoter :

— Nous ne sommes pas en guerre. Nous ne commettons pas d'horreurs. Nos hommes politiques ont d'autres fonctions que de nous absoudre.

Au contraire, nous sommes des monstres. Avec nos impôts, nous payons les horreurs de nos gouvernements. Avec notre épargne, les banques prêtent aux États et financent les folies moralisatrices d'un George Bush. Nous sommes en guerre, même si nous n'allons pas nous-mêmes sur le champ de bataille. Nous sommes en guerre contre les pauvres, contre la planète entière que nous sommes en train de saccager. Comme par le passé, nous avons besoin d'être pardonnés. Maintenant que les psychanalystes ont remplacé les curés, que les neurologues ridiculisent les psychanalystes, il ne nous reste comme confesseurs que nos politiciens.

Sinon, comment expliquer notre légèreté à leur égard ? Pourquoi acceptons-nous leurs malversations ? Pourquoi osent-ils faire un come-back politique après un séjour en prison ? Ils purgent leur peine, reviennent comme si de rien n'était... et nous votons pour eux. Nous votons parce qu'ils nous déresponsabilisent. Peu importe qu'ils soient malhonnêtes, puisqu'ils ont pour rôle principal celui de nous disculper. D'ailleurs, pour laver nos péchés, il faut que leur âme soit endurcie et qu'ils soient prêts à commettre eux-mêmes des horreurs. Nous sommes obligés de leur pardonner comme ils nous pardonnent. De même qu'à l'époque napoléonienne, nous tuons chaque jour sans scrupule, tout cela parce que nos politiciens sont responsables à notre place.

Je crois que le cinquième pouvoir refuse dorénavant tout alibi. Quand nous agissons, c'est en notre âme et conscience, non parce qu'un politicien nous l'a ordonné. Si nous nous relâchons, un autre citoyen est là pour nous rappeler à l'ordre. Nous nous incitons les uns les autres à devenir responsables. Nous avons compris qu'il n'est plus possible de vivre indépendamment des autres. C'est la condition préliminaire à toute démocratie participative.

Déclaration d'interdépendance

Albert Jacquard explique que nous ne pouvons étudier le monde qu'en décrivant les interactions entre les choses. « Isolé, réduit à lui-même, un élément quelconque de l'univers ne peut être représenté par des mots, car ceux-ci expriment des concepts liés à des interdépendances, écrit-il [11]. [...] Que ce soit par l'entremise des sons ou par le recours à d'autres outils de communication, constatons que nous pouvons désormais non seulement échanger des informations, mais transmettre à nos interlocuteurs l'essentiel de ce qui se passe en nous. [...] Bien au-delà des mots, des liens de toute nature sont créés par ces rencontres ; ils mettent en place une interdépendance des activités intellectuelles si intense que chaque humain ne peut être défini que par le réseau auquel il participe. »

Une fois que nous sommes conscients d'appartenir à un réseau social – réseau que nous contribuons chaque jour à densifier –, nous ne pouvons plus ignorer nos interdépendances. Un homme seul n'est rien ; tout ce qu'il fait, il doit le faire en pensant aux autres, quelle que soit leur localisation dans l'espace et dans le temps. Cette idée hante, je pense, le cinquième pouvoir. Elle s'oppose avec force à la notion d'indépendance à l'origine des États modernes.

Le 4 juillet 1776, les États-Unis se déclaraient indépendants du Royaume-Uni. Le pays devenait souverain. Dès lors, ses habitants devenaient capables d'agir sur leur territoire sans se préoccuper du reste du monde. Au XXIe siècle, cette vision de l'indépendance est catastrophique. Sous prétexte de souveraineté, nous pouvons faire presque n'importe quoi chez nous, surproduire des gaz à effet de serre par exemple.

Toutes les nations indépendantes devraient aujourd'hui renoncer à leur souveraineté et affirmer leur interdépendance. Dans notre monde global, nous dépendons les uns des autres et les générations à venir dépendent aussi de nous. Nous appartenons à un tout appelé biosphère. Cette constatation implique de nouvelles attitudes individuelles et donc politiques.

Le 4 juillet 1962, le président Kennedy parla pour la première fois de la nécessité d'une déclaration d'interdépendance, mais il avait en tête l'interdépendance économique et militaire ' e l'Europe et de l'Amérique [12]. En 1988, International Humanist and Ethical Union proposa une déclaration d'interdépendance de caractère moral à l'échelle de la planète [13]. En 1998, le vice-président Al Gore suggéra une déclaration d'interdépendance numérique [14]. Mais il faut attendre le début du XXIe siècle pour trouver des appels à une déclaration plus universelle : Ken White [15], David Suzuki [16], Joe Smith [17]...

Après la Déclaration universelle des droits de l'homme, il est temps d'écrire une Déclaration universelle d'interdépendance. L'interdépendance est un fait, nous devons en tirer toutes les conséquences politiques. Cette déclaration doit être en Open Source, elle doit être en chantier permanent.

Ça peut marcher.

Nous pouvons la construire ensemble.

Je voudrais terminer en apportant ma pierre à cet édifice encore incertain, me contentant ici d'esquisser quelques pistes en espérant ouvrir des portes à de longues discussions sur le web et ailleurs.

Responsables. La biosphère forme un réseau d'interactions qui lie toutes les choses et tous les êtres vivants. Aucun de nous ne peut s'en abstraire. Dès que nous agissons, nous modifions notre environnement et nous nous modifions nous-mêmes. Nous ne pouvons plus rejeter la faute sur les autres.

Humbles. Au sein de la biosphère, la complexité des interdépendances nous empêche souvent de prévoir les conséquences de nos actes. Régler momentanément un problème complexe est parfois possible, mais les conséquences sur l'avenir sont imprévisibles. Toute politique devrait s'inscrire dans un temps long et non dans celui, trop bref, des échéances électorales.

Précautionneux. Ce qui a été fait ne peut être défait. Il serait bon d'éviter les décisions globales : elles peuvent s'avérer catastrophiques parce qu'irréversibles. Des variantes de toute décision devraient être testées localement puis comparées. Il n'y a pas de solution universelle.

Libres. Interdire les expériences au nom d'un principe de précaution serait sans doute trop restrictif. Pour agir localement, chaque homme devrait disposer de la plus grande liberté possible. En libérant notre imagination, nous nous donnerons le droit d'essayer les choses les plus folles, dans la limite des contraintes imposées par l'interdépendance.

Ouverts. À cause de l'interdépendance, personne ne devrait se limiter à une spécialité mais accepter toutes les interactions et les favoriser.

Écologistes. La biosphère est la maison où nous vivons ainsi qu'une extension de notre corps. Nous devrions la maintenir en bonne santé, c'est une priorité.

Économes. Les ressources de la biosphère sont limitées, il nous faut les ménager, d'autant que nous ne sommes qu'une espèce vivante parmi des millions d'autres. Quand nous consommons quelque chose, nous le prenons aux autres, à tout jamais. Du fait même des limitations des ressources naturelles et énergétiques, la croissance matérielle ne peut être infinie. Les indicateurs économiques devraient comptabiliser les coûts écologiques et sociaux[18].

Mondialistes. Comme tout est lié, réduire une politique à un pays n'a aucun sens. Tout acte politique national devrait tenir compte du monde.

Fraternels. Quand une partie de l'humanité souffre, l'ensemble de la biosphère vacille. Le devoir de fraternité n'est pas que moral, il est aussi notre seule chance de nous en sortir : nous ne le ferons que tous ensemble.

Révolutionnaires. La biosphère évolue, rien ne perdure inchangé, pas même l'espèce humaine. Quand la situation se modifie, nous devons imaginer autre chose. Quand on a peur du changement, on a le changement et la peur.

J'ai à coup sûr oublié l'essentiel, je me suis certainement attaché à des détails, j'espère que tous ensemble nous irons beaucoup plus loin. Sur son blog, José Ferré se demande si notre nouveau pouvoir sera à la hauteur de cette mission qui dépasse tous les clivages[19].

— Les communautés qui se forment sur internet peuvent-elles se dépasser, prendre en compte l'intérêt général et s'inscrire dans la durée, qui sont le champ même du politique? Ou sont-elles, comme d'autres, des minuscules et innombrables sommes d'intérêts individuels, tactiques et éphémères?

Personne ne peut le dire.

Mais nous devons nous mettre au travail. En informatique, nous avons commencé avec l'Open Source, il faudrait maintenant étendre cette philosophie de partage et de collaboration à toutes les activités humaines.

Mettre un prix sur toute chose serait catastrophique. Réapprenons plutôt à échanger, à dialoguer, à vivre ensemble, dans un esprit gagnant-gagnant.

Souvent, sur mon blog, des lecteurs me disent:

— Tout ça, c'est bien beau. Mais qui contrôlera le cinquième pouvoir? Pour qui jouera-t-il?

Le cinquième pouvoir ne se contrôle pas, contrairement à ceux qui l'ont précédé. Tout le monde peut se l'approprier et s'en revendiquer. Décentralisé et non hiérarchisé, il n'a pas de point vulnérable, sinon chacun des individus qui le composent. Il n'est pas un pouvoir mais une infinité de pouvoirs individuels. En fait, il est un non-pouvoir, il nie la nécessité d'un commandement fort et montre que, entre chacun de nous, des choses importantes se produisent.

J'espère que ce pouvoir ne se laissera pas enfermer dans des cases restrictives, qu'il conservera longtemps son désir d'une société plus harmonieuse. Ça ne sera pas facile, mais nous allons tous ensemble construire un nouveau monde. J'aimerais que la liberté y règne plus qu'à n'importe quelle autre époque de notre histoire.

Nous n'avons pas le droit de douter.

Oublions les vieux clivages.

Le cinquième pouvoir n'est ni à gauche ni à droite... mais devant.

ANNEXES

Illustrations

Notes

Index

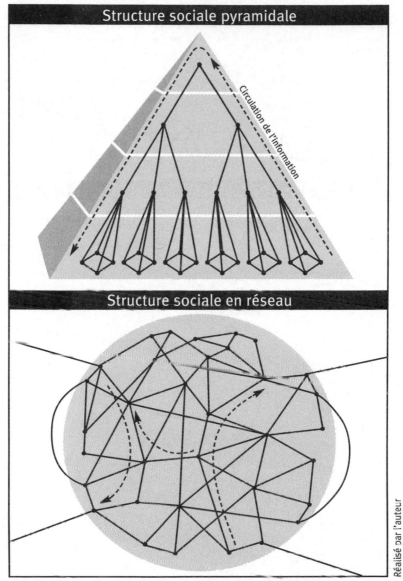

Figure 1.1 Les structures sociales pyramidales sont hiérarchisées et centralisées alors que les structures en réseau sont décentralisées et non hiérarchisées. En passant de la pyramide au réseau, on asssiste à un aplatissement des structures sociales. La notion de pouvoir change de sens.

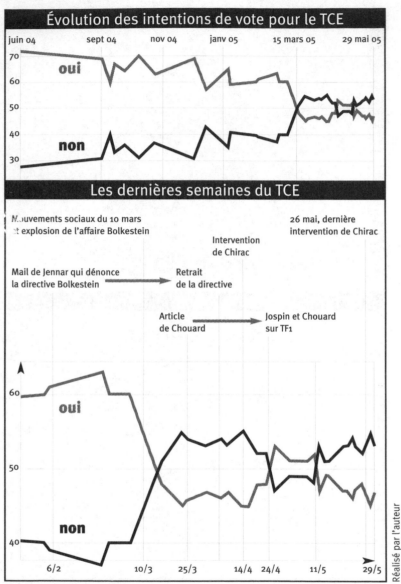

Évolution des intentions de vote pour le TCE

Les dernières semaines du TCE

Figure 2.1 Les courbes des intentions de vote tracées en compilant les études CSA, TNZ-Sofres, Ipsos et Louis Harris montrent une stabilité de l'opinion jusqu'au début mars 2005. Suivent trois renversements difficiles à interpréter si on ne prend pas en compte les événements survenus sur internet.

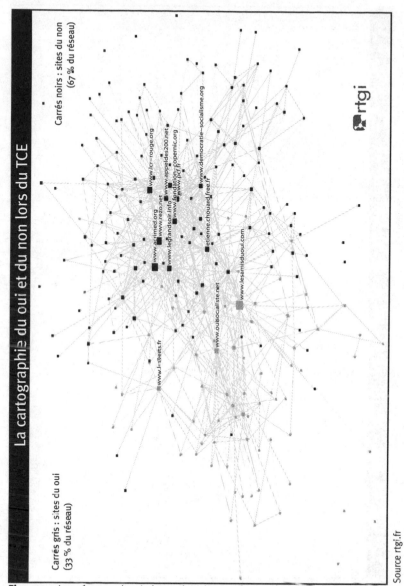

La cartographie du oui et du non lors du TCE

Carrés gris : sites du oui
(33 % du réseau)

Carrés noirs : sites du non
(67 % du réseau)

www.lcr-rouge.org
www.rezo.net
www.appeldes200.net
www.attac.info
www.fondation-copernic.org
www.pcf.fr
www.democratie-socialisme.org
www.legrandsoir.info
www.acrimed.org
etienne.chouard.free.fr
www.lesamisduoui.com
www.oulsocialiste.net
www.l-verts.fr

Source rtgi.fr

Figure 5.1 Les réseaux dessinés par les sites en faveur du oui et du non lors du TCE n'ont pas de centre, ils sont décentralisés comme la plupart des réseaux que nous découvrons dans la nature. Leur complexité rend leur contrôle impossible : seuls quelques sites y apparaissent plus influents.

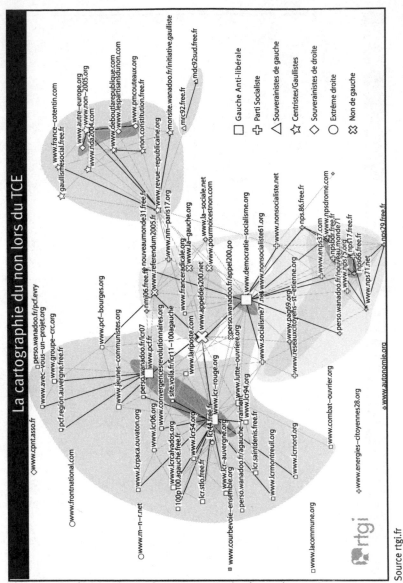

Figure 5.2 La droite et la gauche se partagent le réseau du non. Les zones grisées montrent les sphères d'influence des partis (relativement centralisées – réseaux en étoile). Les liens entre les zones font apparaître les alliances de circonstance. Au total, le réseau est décentralisé.

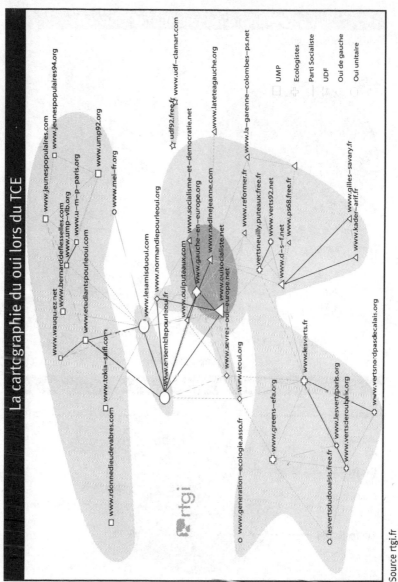

La cartographie du oui lors du TCE

- UMP
- Ecologistes
- Parti Socialiste
- UDF
- Oui de gauche
- Oui unitaire

Source rtgi.fr

Figure 5.3 La puissance d'un réseau peut être estimée en fonction du nombre de liens et d'étapes nécessaires pour passer d'un site à un autre. Le réseau du oui apparaît ainsi beaucoup moins dense que celui du non. Les partis sont bien moins interconnectés, signe d'une faible mobilisation.

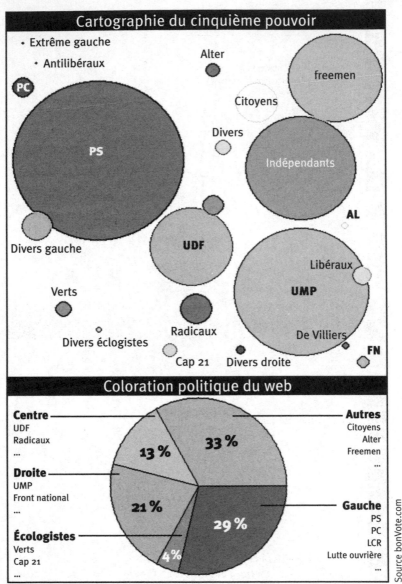

Figure 5.4 Lorsque l'on compte le nombre de sites affiliés aux divers courants politiques, lorsque l'on pondère leur nombre en fonction de leur influence sur le web, on découvre une cartographie politique qui n'a aucun rapport avec celle que présentent les médias. Les *autres* apparaissent en force.

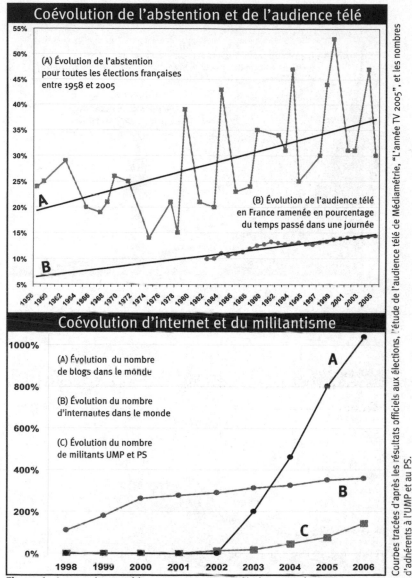

Courbes tracées d'après les résultats officiels aux élections, l'étude de l'audience télé de Médiamétrie, "L'année TV 2005", et les nombres d'adhérents à l'UMP et au PS.

Figure 6.1 Le premier graphique montre une corrélation entre le taux d'abstention et l'audience télé. Le second montre une recrudescence du militantisme grâce à la multiplication du nombre d'internautes et de blogs. La télé a manqué de tuer la démocratie, internet lui donne une seconde chance.

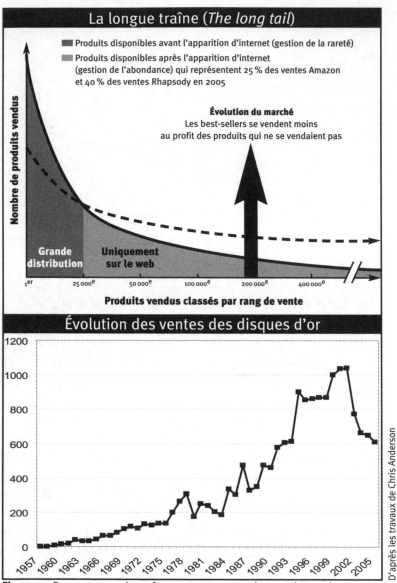

Figure 7.1 Dans une grande surface, on ne trouve qu'une petite partie des produits disponibles en ligne. Ces produits ignorés par le passé se vendent de plus en plus au détriment des best-sellers qui, depuis 2002, voient leur part de marché diminuer.

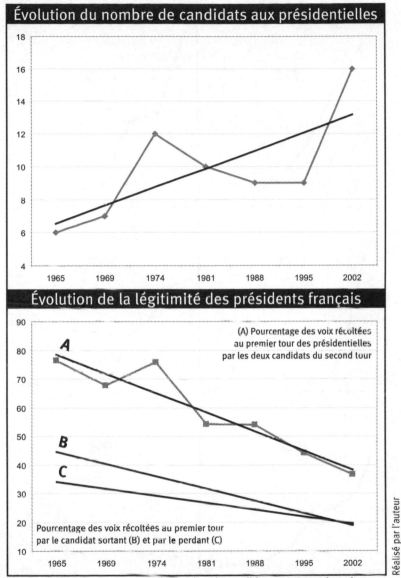

Évolution du nombre de candidats aux présidentielles

Évolution de la légitimité des présidents français

(A) Pourcentage des voix récoltées au premier tour des présidentielles par les deux candidats du second tour

A

B

C

Pourcentage des voix récoltées au premier tour par le candidat sortant (B) et par le perdant (C)

Réalisé par l'auteur

Figure 7.2 En même temps que le nombre de candidats augmente lors des présidentielles françaises, les deux candidats qui se trouvent au second tour récoltent de moins en moins de suffrages. Ainsi, les best-sellers politiques récoltent de moins en moins de lauriers et perdent leur légitimité.

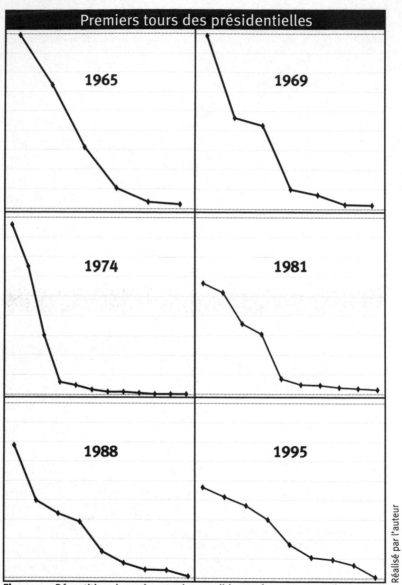

Figure 7.3 Répartition des voix entre les candidats présents au premier tour des présidentielles françaises. Aucune de ces courbes ne peut être assimilée à une longue traîne (les tentatives d'approximation linéaire sont toujours plus proches des valeurs mesurées).

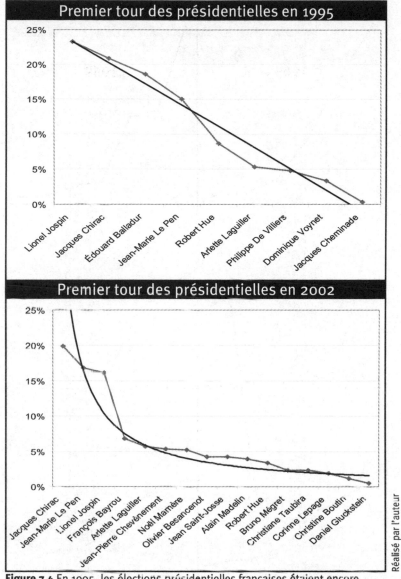

Figure 7.4 En 1995, les élections présidentielles françaises étaient encore fermées, la courbe rejoint zéro. En 2002, elles étaient ouvertes, la courbe est devenue une longue traîne, synonyme de plus de démocratie. Même si tout le monde a crié au scandale, nous avons assisté à un événement historique.

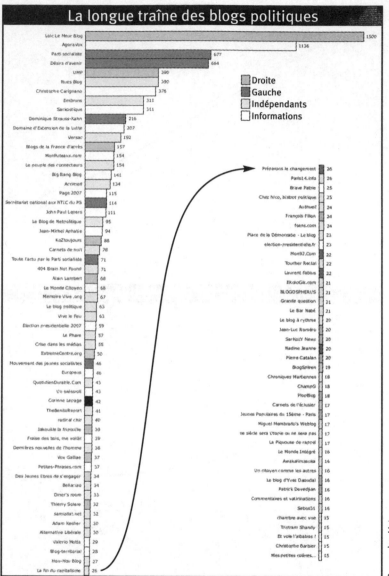

Figure 7.5 Les 100 blogs et sites politiques les plus influents en France selon *bonVote.com*. Dans ce classement, les blogueurs sont beaucoup plus présents que les partis et les personnalités politiques, preuve s'il en faut que la politique devient peu à peu le fait de tous les citoyens.

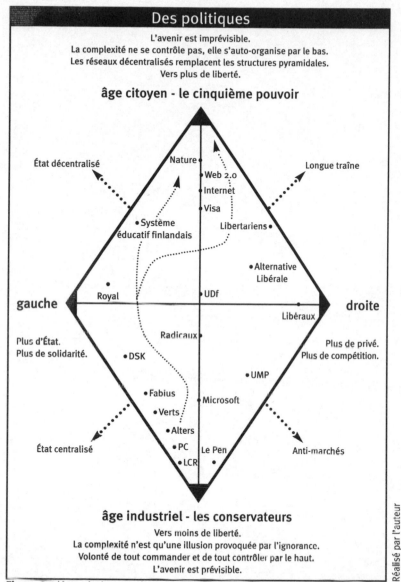

Des politiques

L'avenir est imprévisible.
La complexité ne se contrôle pas, elle s'auto-organise par le bas.
Les réseaux décentralisés remplacent les structures pyramidales.
Vers plus de liberté.

âge citoyen - le cinquième pouvoir

État décentralisé

Nature

Web 2.0

Internet

Visa

Système éducatif finlandais

Libertariens

Longue traîne

Alternative Libérale

Royal

UDf

gauche

Plus d'État.
Plus de solidarité.

Radicaux

DSK

Liberaux

droite

Plus de privé.
Plus de compétition.

UMP

Fabius

Microsoft

Verts

Alters

État centralisé

PC

Le Pen

Anti-marchés

LCR

âge industriel - les conservateurs

Vers moins de liberté.
La complexité n'est qu'une illusion provoquée par l'ignorance.
Volonté de tout commander et de tout contrôler par le haut.
L'avenir est prévisible.

Réalisé par l'auteur

Figure 8.1 L'axe droite-gauche ne suffit plus pour différencier les possibilités politiques. Un nouvel axe beaucoup plus pertinent est en train de se former, il oppose les conservateurs au cinquième pouvoir, les méthodes qui nous ont plongés dans la crise à celles qui permettront peut-être de nous en sortir.

Chapitre 1 – L'Amérique a tremblé

1. [www.youtube.com/watch?v=pL3Q9gUEvtA]

2. Amanda Gefter, "This is Your Space", NewScientist, 16 septembre 2006.

3. Joe Trippi, *The Revolution Will Not be Televised*, 2004. Joe Trippi a écrit ce livre juste après avoir quitté la campagne d'Howard Dean. Il fut publié avant la fin des élections. Il m'a servi de fil conducteur tout au long de ce chapitre. Presque tous les chiffres cités en sont extraits.

4. Cité par Gary Wolf dans "How the Internet Invented Howard Dean", *Wired*, 12.01, janvier 2004.

5. [www.blogforamerica.com]

6. Cité par Gary Wolf dans "How the Internet Invented Howard Dean", *Wired*, 12.01, janvier 2004.

7. [wsws.org/francais/News/2004/mars04/ 199204_ChuteDean_pml.shtml]

8. [www.page2007.com/?p=1536]

9. [www.democracyforamerica.com]

Chapitre 2 – Retour sur un référendum

1. [etienne.chouard.free.fr/Europe/ Constitution_revelateur_du_cancer_de_la_democratie.htm]

2. [european-convention.eu.int]

3. Le TCE sera signé à Rome le 29 octobre 2004.

4. Jusque-là, seuls 240 députés européens soutenus par des technocrates avaient eu leur mot à dire. [www.democracy-international.org]

5. Espagne, République tchèque, Danemark, Irlande, Pologne, Portugal, Luxembourg, Pays-Bas, Grande-Bretagne et France.

6. Union pour un mouvement populaire.

7. Union pour la démocratie française.

8. À gauche : Parti communiste, Ligue communiste révolutionnaire, Lutte ouvrière. À droite : Mouvement pour la france, Rassemblement pour la france et Front national.

9. Fayard, 14 avril 2004. Défend une thèse selon laquelle l'Union européenne est soumise aux intérêts des grands groupes industriels et financiers.

10. Unité de recherche, de formation et d'information sur la globalisation. [*www.urfig.org*]

11. [www.appeldes200.net]

12. [www.urfig.org/ ue-analyse-nouvelle-agression-commission-pt.htm]

13. [www.ptb.be]

14. [www.legrandsoir.info/article.php3?id_article=2096]

15. [lipietz.net/article.php3?id_article=1442] [lipietz.net/article.php3?id_article=1441]

16. Le 13 février, François Fillon avait retiré sa réforme du bac. Le 10 mars, manifestation contre le gouvernement Raffarin.

17. L'annonce sera officialisée dans le *Journal Officiel* du 10 mars.

18. [www.acrimed.org/article1938.html]

19. [www.humanite.presse.fr/journal/2005-02-25/ 2005-02-25-457376]

20. [www.laccroche.info/midi-libre-TCE.htm]

21. [www.csa.fr]

22. [www.observatoire-medias.info]

23. [www.darwinsnightmare.com]

24. Thomas Lemahieu, *L'Humanité hebdo*, édition du 9 avril 2005.
[ww.humanite.fr/popup_print.php3?id_article=459948]

25. [martinwinckler.com/article.php3?id_article=557]

26. [bigbangblog.com/article.php3?id_article=90#forum973]

27. [bigbangblog.com/article.php3?id_article=91]

28. [www.snuipp.fr]

29. *L'Humanité hebdo*, édition du 9 avril 2005.

30. [bellaciao.org/fr/article.php3?id_article=13842]

31. [publiusleuropeen.typepad.com/publius/2005/04/
Étienne_chouard.html]

32. [www.bigbangblog.com/article.php3?id_article=99]

33. [www.legrandsoir.info/article.php3?id_article=2213]

34. [www.elysee.fr]

35. [www.intergalactique.lautre.net/article.php3?id_article=568]

36. [etienne.chouard.free.fr/Europe]

37. *Marseille Hebdo*, 20 avril : « Un prof de Marseille star du
référendum » ; *La Provence*, 21 avril : « Étienne Chouard, un citoyen
qui tisse sa toile ».

38. [www.blogdsk.net/dsk/2005/04/bonjour_tous_in.html]

39. [www.france5.fr/asi/006869/33/125040.cfm]

40. [publiusleuropeen.typepad.com/publius/2005/04/ quand_le_dbat_s.html]

41. [www.acrimed.org/article1994.html]

42. *Le Monde*, 12 mai 2005.

43. Pierre Rosanvallon, *La Contre-démocratie*, 2006.

Chapitre 3 – Journalistes citoyens

1. Cité par Pierre Rosanvallon, *La Contre-démocratie*, 2006.

2. Le FLPLA libère les panneaux libres à Asnières. [asnierois.org]

3. « Le système Aeschlimann », *L'Express*, 28 septembre 2006.

4. Pierre Rosanvallon, *La Contre-démocratie*, 2006.

5. [membrado.blogs.com]

6. [debeauregard.typepad.com]

7. [www.fondationostadelahi.fr]

8.
[hertoghe.typepad.com/carte_de_presse/2005/12/censure_lafp.html]

9. [membrado.blogs.com/thoughts/2006/01/merci_aux_blogg.html]

10. Yan de Kerorguen, « Quand une start-up française doit s'exiler pour survivre », *La Tribune*, 26 septembre 2006.

11. [www.asnierois.org]

12. [english.ohmynews.com]

13. James Borton, "OhmyNews and 'wired red devils'", *Asian Times*, 25 novembre 2004.

14. Kim Dae-jung, prix Nobel de la paix en 2000 pour avoir tenté de rétablir le dialogue avec la Corée du Nord.

15. [www.dangillmor.com]

16. [english.ohmynews.com]

17. [gannett.com]

18. Selon la Newspaper Association of America.

19. [www.agoravox.fr/article.php3?id_article=10596]

20. [www.dailymotion.com/video/xd6g0_quelques-verites]

21. [johnpaullepers.blogs.com/john_paul_lepers_leblog/2006/09/bayrou_sort_ses.html]

22. [www.agoravox.fr/article.php3?id_article=13497]

23. [wiki.agoravox.fr]

24. [www.jce-paris.org]

25. [www.lireetfairelire.org]

26. [organicvalley.coop]

27. [www.kokopelli.asso.fr]

28. [www.navdanya.org]

29. [www.jerome-charre.fr]

30. [www.monputeaux.com]

31. Alain, *Propos sur les pouvoirs*, propos tenu en 1912 cité par Pierre Rosanvallon.

Chapitre 4 – La république des blogs

1. Montesquieu, *De l'esprit des lois*, livre XI, chapitre 4, 1758.

2. En 2006, plus de 27 millions de Français surfent sur le web au moins une fois par mois : 27 % consultent les blogs et 19 % y publient des commentaires, soit respectivement 7,5 millions et 5 millions de Français. Cette valeur de 8 % a été mesurée aux États-Unis [www.pewinternet.org/PPF/r/186/report_display.asp] mais les études de Typepad montrent une grande proximité entre nos deux pays dans le domaine de la blogosphère. Ce phénomène touche en priorité les jeunes : 70 % d'entre eux affirment avoir déjà lu un blog. Les blogueurs seraient 3 millions et 8 % d'entre eux traiteraient plus ou moins régulièrement de politique. Cette force représente 240 000 citoyens éditorialistes et critiques.

3. [tic.aquitaine.fr]

4. Première élection le 13 juin 1999, en troisième position sur la liste des Verts français conduite par Daniel Cohn-Bendit. Réélu le 13 juin 2004. [lipietz.net]

5. [www.memoire-vive.org] [www.humains-associes.org]

6. [www.pewinternet.org/PPF/r/186/report_display.asp]

7. [sntic.parti-socialiste.fr]

8. [solere.blogs.com]

9. Les grosses boutiques internet comme Amazon décentralisent d'ailleurs leurs points de vente en proposant à tous les webmasters d'ouvrir leur propre librairie.

10. En 2007, l'UMP s'en sortira peut-être, mais ce sera sans doute la dernière fois que cette tactique d'un autre temps portera ses fruits.

11. [www.desirsdavenir.org]

12. [pisani.blog.lemonde.fr/pisani/2006/10/la_campagne_lec.html]

13. [blog.edouard-fillias.fr]

14. [blog.nekkaz.com]

15. [www.republiquedesblogs.net]

16. [news.bbc.co.uk/2/hi/uk_news/magazine/5388182.stm]

Chapitre 5 – La bataille de Borodino

1. [risal.collectifs.net]

2. Jacques Attali, *Une brève histoire de l'avenir*, 2006.

3. Je me suis longuement expliqué à ce sujet dans *Le Peuple des Connecteurs*.

4. Nassim Nicholas Taleb, "Life is unpredictable – get used to it", *New Scientist*, juin 2006.

5. Voir le chapitre 2 sur le TCE.

6. [www.rtgi.fr]

7. Zeev Sternhell, *Ni droite ni gauche : l'idéologie fasciste en France*, 2000.

8. [www.ifop.com/europe/sondages/opinionf/barocevipofv1.asp]

9. J'ai défendu cette thèse dans *Le Peuple des Connecteurs*.

Chapitre 6 – Buzz marketing

1. Loïc Le Meur, *loiclemeur.com*, 2003.

2. [dailymotion.com/visited/search/royal/video/xm4ph_profs-segolene-en-off]

3. [vanb.typepad.com/versac/2006/11/foule_de_vidos_.html]

4. [blpwebzine.blogs.com/politicshow/2006/10/ avantpremires_f.html#comment-25084108]

5. [www.nuesblog.com/?399/35h-et-education-off-de-campagne]

6. Constance Baudry, « Quand Mme Royal proposait de "faire les 35 heures au collège" », *Le Monde*, 9 novembre 2006.

7. [factcheck.org]

8. « Internet changera la donne politique, estime le DG de Google », *La Tribune*, 4 octobre 2006.

9. [youtube.com/watch?v=ihORx59sYow]

10. [www.ipdi.org]

11. Cité par Zachary Rodgers, "On the Online Campaign Trail," *clickz.com*. [www.clickz.com/showPage.html?page=3410371]

12. [www.eco-echos.com]

13. [www.tela-botanica.org/actu/article1142.html]

14. [www.eco-echos.com]

15. [www.econologie.com/telechargement-3175.html]

16. [blpwebzine.blogs.com/politicshow/politicshow/index.html]

17. Et ça change tout. Il est forcément plus difficile de tenir 3 heures plutôt que 1à minutes face à la caméra. Avec internet, de nouvelles compétences politiques sont nécessaires.

18. [www.lexpansion.com/art/32.0.77108.0.html]

19. [carnetsdenuit.typepad.com/carnets_de_nuit/2006/10/ from_all_to_one.html]

20. [www.democracia.undp.org]

21. Chiffres cités par Manuel Castells. dans son article « Émergence des médias de masse individuels » paru dans *Le monde diplomatique*, août 2006. Je n'ai malheureusement pas retrouvé la source et je fais confiance à l'auteur. [www.monde-diplomatique.fr

22. Chiffres cités par Joe Trippi, *The Revolution Will Not be Televised*, 2004.

23. Gutenberg invente l'imprimerie vers 1456, la Réforme débute en 1517 avec Martin Luther. La révolution numérique prendra bien moins de temps à se propager.

24. Grégoire Sommer, *Savoir convaincre : la rhétorique au service de vos idées*, 2006.

25. [www.radical-chic.com/?2006/07/10/491-zidane-traite-de-noniste]

26. [www.radical-chic.com/?2006/07/10/491-zidane-traite-de-noniste]

27. [mediapedia.wordpress.com]

28. [movies.lionhead.com/movie/11520]

29. Christophe Nick, Pierre Péan, *TF1, un Pouvoir*, 1997.

30. [www.netpolitique.net/php/articles/politics_as_usual.php3]

31. [www.esprit.presse.fr/review/article.php?code=13254]

32. [ft.com/cms/s/eb9509dc-5700-11db-9110-0000779e2340.html]

33. [news.google.fr] [fr.news.yahoo.com] [news.fr.msn.com]

34. [www.debat2007.fr]

35. [ft.com/cms/s/eb9509dc-5700-11db-9110-0000779e2340.html]

Chapitre 7 – La longue traîne

1. Loïc Blondiaux lors de la conférence AFCAP à Sciences-Po, le 16 décembre 2006.

2. Jon Krakauer, *Into Thin Air*, 1997.

3. Chris Anderson, *The Long Tail*, 2006. [thelongtail.com]

4. France Info, 9 novembre 2006.

5. Il faudrait beaucoup plus de candidats pour être sûr.

6. Et pas 200 000 comme j'ai pu l'entendre, ce qui reviendrait à restreindre le choix aux très gros réseaux, et donc ne changerait rien à la situation actuelle.

7. [tor.eff.org/index.html.fr]

8. Score réalisé par *The Land* en 2004 aux États-Unis.

9. [nekkaz.com]

10. [heaven.fr]

11. [www.hoover.org/publications/policyreview/2913481.html]

12. [www.santafe.edu]

13. J'ai détaillé tout cela dans *Le Peuple des Connecteurs*.

Chapitre 8 – Politique 2.0

1. Alexis de Tocqueville, *De la démocratie en Amérique*, 1835.

2. Nicolas Hulot, *Pour un pacte écologique*, 2006.

3. [www.freddymallet.com]

4. Dee Hock, *Birth of the Chaordic Age*, 1999.

5. National BankAmericard, Inc.

6. [www.santafe.edu]

7. [netbase.t0.or.at/delanda/intdelanda.htm]

8. [blog.tcrouzet.com/2006/10/27/les-risques-de-la-decentralisation]

9. [francescocasabaldi.typepad.com]

10. Jérôme Barrand, *Le Manager Agile, vers un nouveau management pour affronter la turbulence,* 2006.

11. Albert Jacquard, *Mon utopie,* 2006.

12. [www.cs.umb.edu]

13. [librepenseefrance.ouvaton.org/iheu/iheu.html]

14. [www.itu.int/newsarchive/press/PP98/Documents/Statement_Gore-fr.html]

15. [www.chaordic.org/speeches_mature_democracy.html]

16. [www.davidsuzuki.org/About_us/French_Declaration.asp]

17. [www.opendemocracy.net/democracy-vision_reflections/interdependence_3658.jsp]

18. [www.rprogress.org]

19. [carnetsdenuit.typepad.com/carnets_de_nuit/2006/10/from_all_to_one.html]

Parus chez Bourin Éditeur

Fabrice AMEDEO, *Les Fossoyeurs de l'Europe*
Pierre-Valéry ARCHASSAL, *Généalogie, une passion moderne*
Philippe BENASSAYA *Les Hussards perdus de la République*
Laurence BENHAMOU, *Le Grand Bazar mondial*
Pierre BILGER, *Quatre millions d'euros, le prix de ma liberté*
Gérald BLONCOURT, *Le Regard engagé*
Sylvie BOMMEL, Anne-Laure REVEILHAC, *La Révolte des virés*
Michel BONGRAND, *Le Marketing politicien*
Jean CANOUREL, Nathalie LENOIR, *Comment devenir chef
    (et le rester) en 10 leçons*
Frédéric CHARPIER, *L'Obsession du complot*
COLLECTIF, *L'Ère du risque*
Thierry COSTE, *Le Vrai Pouvoir d'un lobby*
Thierry CROUZET, *Le Peuple des connecteurs*
André DAMON, *Mémoires du Petit journal*
Bernard DARNICHE, *Citoyens de la route*
Bruno DELMAS, *La Société sans mémoire*
Renaud DÉLY, *Les Tabous de la gauche*
Bruno DESCROIX, *Demain les profs*
Pierre DEUSY, *Marx est mort, Jésus revient*
Jean-Michel DUBERNARD, *Sauvons la sécu !*
Marc FIORENTINO, *Tu seras un homme riche, mon fils !*
Jean-Luc FOUCHER, *Ressources inhumaines*
Pascal GALINIER, *Terminus Billancourt*
Philippe GALLARD, *À l'assaut du monde*
Jean-Pierre GAUDARD, *L'Intraitable Monsieur Mer*
                    Le Mal industriel français

••• SAGIM • CANALE •••

Achevé d'imprimer en janvier 2007
sur rotative Variquik
à Courtry (77181)

Imprimé en France

Dépôt légal : janvier 2007
N° d'impression : 9872
ISBN : 978-2-84941-058-5
966 247.0

L'imprimerie Sagim-Canale est titulaire de la marque
Imprim'vert®